O9-CFU-192

Geografía de la Esperanza
A Geography of Hope

Geografía de la Esperanza
SALVANDO LOS ÚLTIMOS BOSQUES PRIMARIOS

A Geography of Hope
SAVING THE LAST PRIMARY FORESTS

CYRIL F. KORMOS
RUSSELL A. MITTERMEIER
TILMAN JAEGER
BRENDAN MACKEY

Series Editor
CRISTINA MITTERMEIER

Foreword
PETER A. SELIGMANN
HARRISON FORD

Primary forests are places of great concentrations of life, but they are also places where the cycle of life and death is never far from view.

Si bien los bosques primarios son sitios de gran concentración de vida, también son lugares en donde los ciclos de la vida y la muerte siempre están presentes.

TROPICAL FOREST | BOSQUE TROPICAL
Idiospermum australiense
Ribbonwood tree seedling |
Plántula del Laurel de Queensland
Daintree Rainforest, Queensland |
Selva tropical de Daintree, Queensland
Australia
JÜRGEN FREUND

FOLLOWING PAGES/PÁGINAS SIGUIENTES
TEMPERATE FOREST | BOSQUE TEMPLADO
Mixed temperate forest | Bosque templado mixto
Carpathian Mountains | Cárpatos
Romania | Rumania
SANDRA BARTOCHA

Contents | Contenido

A Message from CEMEX | Un Mensaje de CEMEX xv

Foreword | Prólogo xx

Peter A. Seligmann, CEO, Conservation International | Director Ejecutivo, Conservation International

Harrison Ford, Vice Chair, Conservation International | Subdirector, Conservation International

Preface | Prefacio xxvi

Vance G. Martin, President, WILD Foundation | Presidente, Fundación WILD

1 Saving Primary Forests 1

Salvando los Bosques Primarios

2 Primary Forests, Biodiversity, and Ecosystem Services 23

Bosques Primarios, Biodiversidad y Servicios Ecológicos

> Boreal Forest Biome Gallery | Galería Bioma Bosque Boreal 43

3 Indigenous Peoples and Primary Forests 77

Los Pueblos Indígenas y los Bosques Primarios

4 The Remaining Primary Forests: Status and Prospects 93

Los Bosques Primarios Remanentes: Estado y Amenazas

> Temperate Forest Biome Gallery | Galería Bioma Bosque Templado 113

5 Mobilizing International Action 165

Movilizando la Intervención Internacional

> Tropical Forest Biome Gallery | Galería Bioma Bosque Tropical 185

About the Authors | Acerca de los Autores 277

Contributing Authors | Autores Participantes 278

References | Referencias 280

TROPICAL FOREST | BOSQUE TROPICAL

Sus barbatus | Bearded pig | Cerdo barbudo

Bako National Park, Sarawak, Borneo

Parque Nacional de Bako, Sarawak, Borneo

Malaysia | Malasia

NICK GARBUTT

BOREAL FOREST | BOSQUE BOREAL
Bystraya River, Kamchatka | Río Bystraya, Kamchatka
Russia | Rusia

SERGEY GORSHKOV

FOLLOWING PAGES/PÁGINAS SIGUIENTES
TEMPERATE FOREST | BOSQUE TEMPLADO
Zhangjiajie National Forest Park, Hunan |
Parque Nacional Zhangjiajie, Hunan
China

OLEKSIY MAKSYMENKO/IMAGEBROKER/FLPA

A Message from CEMEX | Un Mensaje de CEMEX

CEMEX is pleased to present the fourth edition of our CEMEX Nature Series, *A Geography of Hope: Saving the Last Primary Forests.* This latest volume in the series is founded on the two-decade tradition of our celebrated twenty-volume Conservation Book Series. These splendid books combine brilliant photography and informed text to enlighten global audiences and reinforce our commitment to the preservation of our planet.

We are proud to publish this book in partnership with the WILD Foundation, Conservation International, and Earth in Focus. Collectively their work spans continents and influences millions of people as they seek to inspire our world to protect our environment on a global scale.

A Geography of Hope: Saving the Last Primary Forests highlights the spectacular forests and ecosystems of our Earth that are fast disappearing as a result of human activity. Each chapter reports on current research, sharing the life-sustaining benefits of primary forests and the decades of conservation initiatives that have gone into their protection. With their breathtaking and inspirational beauty, these forests encompass some of the most culturally and spiritually important places on Earth. Their unique ecological value—from biological diversity to freshwater quality and unmatched carbon storage—cannot be replaced by degraded secondary forests and plantations. Their conservation is critical to the safe transition away from fossil fuel dependency. Indeed, the protection, restoration, and reforestation of primary tropical forests alone could provide 50 percent of the climate mitigation scientists have deemed necessary over the next fifty years.

SUBTROPICAL FOREST | BOSQUE SUBTROPICAL
El Carmen, Coahuila | El Carmen, Coahuila
Mexico | México

SANTIAGO GIBERT ISERN/DIMENSION NATURAL

CEMEX se complace en presentar la cuarta edición de su Serie Naturaleza, *Geografía de la Esperanza: Salvando los Últimos Bosques Primarios.* Este volumen se suma a dos décadas de tradición y veinte tomos de nuestra célebre Serie de Libros de Conservación. Estas ediciones combinan atractivas fotografías y textos que instruyen a las audiencias globales y confirman nuestro compromiso con la preservación de nuestro planeta.

Nos enorgullece publicar este libro en colaboración con la Fundación WILD, Conservation International y con Earth in Focus. En conjunto, el trabajo de estas organizaciones trasciende continentes y estimula a millones de personas para que busquen inspirar al mundo a proteger globalmente nuestro medio ambiente.

Geografía de la Esperanza: Salvando los Últimos Bosques Primarios destaca los espectaculares bosques y ecosistemas de nuestra Tierra que desaparecen rápidamente como consecuencia de las actividades humanas. Cada capítulo presenta investigaciones recientes, comparte los beneficios vitales que nos brindan los bosques primarios e informa acerca de las iniciativas de conservación para su protección que se han llevado a cabo durante décadas. Con su belleza sorprendente e inspiradora, estos bosques forman parte de algunos de los sitios culturales y espirituales más importantes de la Tierra. Su valor ecológico único—desde su diversidad biológica, calidad del agua y su inigualable capacidad de captación de carbono—no puede ser reemplazado por plantaciones ni bosques secundarios. Su conservación es vital para una transición segura que nos aleje de la dependencia de combustibles

This volume elegantly underscores the urgent threats to primary forests and the speed with which their irreplaceable value is being destroyed by land clearing and degradation. Together, we must make a concerted effort to prioritize the protection of the Earth's remaining primary forests, for we cannot achieve the goals of our international climate agreements until we safeguard these magnificent intact ecosystems. We hope readers of this book will feel empowered to join the growing wave of worldwide conservation action that reflects CEMEX's profound concern for the health and preservation of our fragile planet.

CEMEX

fósiles. De hecho, tan sólo con la protección, restauración y reforestación de los bosques tropicales primarios, se podría lograr el 50 por ciento de la mitigación del cambio climático que los científicos consideran necesaria para los siguientes cincuenta años.

El presente volumen enfatiza con claridad las apremiantes amenazas que sufren los bosques primarios y la velocidad a la que su irreemplazable valor está siendo destruido por el desmonte de tierras y la degradación. Juntos debemos hacer un esfuerzo concertado para priorizar la conservación de los bosques primarios remanentes, ya que no se podrán alcanzar las metas de los acuerdos internacionales sobre el cambio climático hasta que estos magníficos ecosistemas estén protegidos. Esperamos que los lectores de este libro se unan a la creciente ola mundial de acciones de conservación, mismas que reflejan la profunda preocupación de CEMEX por la salud y preservación de nuestro frágil planeta.

CEMEX

TEMPERATE FOREST | BOSQUE TEMPLADO
The Catlins, South Island | Los Catlins, Isla Sur
New Zealand | Nueva Zelanda
POPP-HACKNER

BOREAL FOREST | BOSQUE BOREAL
Riisitunturi National Park, Posio |
Parque Nacional de Riisitunturi, Posio
Finland | Finlandia
SANDRA BARTOCHA

Foreword | Prólogo

Our planet's primary forests are irreplaceable—vital for people everywhere—for a stable climate, for biodiversity, for freshwater quality, and of course, for their intrinsic value. They are the terrestrial ecosystems where so many values are at a maximum level. They have the most biodiversity, the greatest carbon stocks, the highest cultural and linguistic diversity, the best water quality—and the list goes on.

These values, we now know, are also interrelated. Removing big trees, which are fundamental to the structure and composition of primary tropical forests, causes a large reduction in the forests' carbon stocks because most of the carbon is stored in these old trees. Similarly, removing large frugivorous mammals and birds from a primary tropical forest through overhunting can also cause a drop in carbon stocks. These mammals and birds are essential seed dispersers for many tree species in a tropical forest, including in particular those that have the highest-carbon capture capacity. Reducing biodiversity also makes forests less resilient to climate change or human disturbance. Biodiversity and ecosystem services are very closely linked.

And yet, despite their critical importance and unique values, primary forests are vanishing before our eyes. We have already lost over a third of our planet's forest cover, only about a third of what remains qualifies as primary forest, and, of this, only about one-fifth is in protected areas and indigenous lands. Millions of hectares of primary forest are still being cleared, degraded, or fragmented every year.

We have known for some time that we need to protect Earth's primary forests. The warning signs are everywhere. They are in the shocking statistics on forest degradation and loss, but also in reports that we have now entered the sixth global extinction crisis, in the

Los bosques primarios de nuestro planeta son irremplazables—de vital importancia para la humanidad, para la estabilidad del clima, para la biodiversidad, para la calidad del agua dulce y por supuesto por su valor intrínseco. Son los ecosistemas terrestres en donde muchos valores se expresan en su máximo nivel. Poseen la mayor biodiversidad; son los depósitos de carbono más grandes; presentan la mayor diversidad lingüística y cultural; la mejor calidad del agua—y la lista continúa.

Ahora sabemos que estos valores también están interrelacionados. La remoción de grandes árboles, fundamentales para la estructura y composición del bosque tropical primario, ocasionan una disminución drástica de los depósitos de carbono del bosque pues el carbono se encuentra almacenado en estos viejos árboles. De manera similar, la eliminación de los grandes mamíferos frugívoros y de las aves por la cacería en los bosques tropicales primarios también provoca la disminución de los depósitos de carbono pues estos animales son esenciales para la dispersión de semillas de muchas especies del bosque tropical, en particular aquellas que tienen mayor capacidad de absorción de carbono.

Pese a ello y a su importancia capital y valor único, los bosques primarios se desvanecen ante nuestros ojos. Ya hemos perdido más de un tercera parte de la cubierta forestal del planeta y sólo un tercio de lo que resta puede considerarse bosque primario y, de éste, solo una quinta parte se encuentra en áreas protegidas o en territorios indígenas. Millones de hectáreas de bosques primarios continúan destruyendose, degradandose y fragmentandose anualmente.

Desde hace tiempo sabemos que debemos proteger los bosques

recent decision by geologists to declare a new geological epoch—the Anthropocene—to document the massive impact we are having on our planet, in the drought and heat records that are shattered so frequently that it has become routine, and in the rapidly shrinking ice caps and glaciers. But the clear emphasis on forests and ecosystem integrity in the 2015 Paris Agreement signed under the United Nations Framework Convention on Climate Change has now made it official. We can no longer afford to wait. Conservation of primary forests must be an urgent global priority. We owe it to the planet and to the diversity of life it has nurtured for millions of years, to the Indigenous Peoples and communities whose livelihoods and cultures depend on the primary forests they live in or near, and, perhaps most important, to our future generations.

PETER A. SELIGMANN
CEO, Conservation International

HARRISON FORD
Vice Chair, Conservation International

primarios de la Tierra. Las señales de urgencia están por todas partes. En las impactantes estadísticas de degradación y pérdida forestal y en los reportes sobre la llegada de la sexta crisis de extinción global, recientemente declarada por los geólogos como la nueva época geológica—el Antropoceno—, que se distingue por nuestro monumental impacto sobre el planeta, por las sequías y altas temperaturas récord que se han vuelto tan frecuentes que ya son rutinarias y por la rápida disminución de los casquetes polares y de los glaciares. Sin embargo, se hace un claro énfasis sobre la importancia de la integridad de los bosques y los ecosistemas en el Acuerdo de París de 2015 y lo hace oficial por su firma en el Marco de la Convención sobre el Cambio Climático. No podemos esperar más. La conservación de los bosques primarios debe ser una prioridad global urgente, se lo debemos a nuestro planeta y a la diversidad de vida que ha producido durante millones de años; a los Pueblos Indígenas y a las comunidades cuyos medios de subsistencia y culturas dependen de los bosques que habitan, y quizás por sobre todo lo anterior, se lo debemos a nuestras generaciones futuras.

PETER A. SELIGMANN
Director Ejecutivo, Conservation International

HARRISON FORD
Subdirector, Conservation International

PRECEDING PAGES/PÁGINA ANTERIORES

TROPICAL FOREST | BOSQUE TROPICAL
Sierra Gorda Biosphere Reserve, Queretaro |
Reserva de la Biosfera Sierra Gorda, Querétaro
Mexico | México

JAIME ROJO

TEMPERATE FOREST | BOSQUE TEMPLADO
Lago-Naki Plateau, Krasnodar Krai |
Altiplano del Lago-Naki, Krasnodar Krai
Russia | Rusia

KONSTANTIN MIKHAILOV

Preface | Prefacio

The well-known adage, "He can't see the forest for the trees," is often used to describe a person who is too focused on details to see the bigger picture, where all the individual elements converge synergistically to create an outcome greater than the sum of its parts. That's what this book is about, literally *seeing* the forest.

Primary forests are no less than a synergy of immense proportion, created by the convergence of myriad species and processes that generate and maintain an ecosystem producing some of the highest value and diverse life-supporting services of any system on Earth. When primary forests are recognized, respected, and protected, we take the important step incumbent upon us as stewards of a planet that supports all life.

Primary forests are wild forests, and we need this wildness both now and in the future—more than we even know. In truth, we cannot foresee all of the challenges that lie ahead of us, some of them "natural" such as Earth changes, but most of them are generated or at least greatly affected by the human-driven juggernaut of development. Science and common sense confirm that primary forests are a significant part of a rational and necessary resiliency plan, enabling us to cope with both local and systemic changes and challenges that will inevitably be visited upon us.

Primary forests are an abundant source of natural solutions for an economy that is truly sustainable at any level, from indigenous community livelihoods to developed cities and towns. They also directly foster human health and well-being by presenting economic and social opportunities (new business, new food, new medicine) and "delivering the goods" (life-supporting services) to all people and all

El conocido adagio: "No dejes que el árbol te impida ver el bosque" a menudo se utiliza para describir a las personas que por poner atención a los detalles pierden de vista el mayor entorno en el que todos los elementos se conjugan de manera sinérgica para crear algo mucho mas grande que la simple suma de las partes. Este libro trata literalmente de ver el bosque.

Los bosques primarios dan pie a una gigantesca sinergia generada por la convergencia de un sinfín de especies y procesos que generan y mantienen los ecosistemas, aportando algunos de los servicios de soporte de vida más valiosos de la Tierra. Cuando reconozcamos, respetemos y protejamos a los bosques primarios, estaremos dando el paso que nos corresponde como custodios de un planeta viviente.

Los bosques primarios son bosques pristinos y necesitaremos de esa naturaleza silvestre tanto ahora como en el futuro—mucho más de lo que creemos. En verdad no podemos anticipar todos los desafíos que nos esperan, algunos de ellos naturales como el cambio mismo de la Tierra, pero la mayoría generados en gran medida por el aparatoso desarrollo impulsado por la humanidad. La ciencia y el sentido común nos confirman que los bosques primarios son parte importante de un plan de resiliencia necesario y racional para lidiar con los cambios sistémicos y locales, así como los desafíos que inevitablemente enfrentaremos.

Los bosques primarios son fecundos en soluciones para una economía verdaderamente sustentable para todos, desde los medios de subsistencia de las comunidades indígenas hasta los pueblos y las ciudades más desarrolladas. Los bosques también favorecen de manera directa la salud y el bienestar humano ofreciendo oportunidades

species. Many of the "opportunities" are yet to be discovered, and the list of "goods" constantly increases as we understand the essential ecosystem services that make life possible and bearable, from fresh air and clean water, to beauty and a shared sense of spirit and relationship among all forms of life on Earth.

Read on, and "see the forest."

VANCE G. MARTIN
President, WILD Foundation
Chairman, Wilderness Specialist Group, IUCN World Commission on Protected Areas

económicas y sociales (nuevos negocios, nuevos alimentos, nuevos medicamentos), además de "brindar sus bienes" (los servicios de soporte vital) a todas las personas y a todas las especies. Aunque muchas de las "oportunidades" aún deben ser descubiertas, la lista de "bienes" crece constantemente en la medida en que comprendemos más los servicios esenciales de los ecosistemas que hacen la vida posible y llevadera, desde aire y el agua limpios, hasta la belleza y el sentido colectivo de espiritualidad y las relaciones mismas entre todos los seres vivientes de la Tierra.

Continúe leyendo para "ver el bosque".

VANCE G. MARTIN
Presidente, Fundación WILD
Presidente del Grupo de Especialistas en Vida Silvestre de la Comisión Mundial de Áreas Protegidas de la UICN

TROPICAL FOREST | BOSQUE TROPICAL
Huaorani hunter | Cazador Huaorani
Yasuní National Park | Parque Nacional Yasuní
Ecuador

PETE OXFORD

FOLLOWING PAGES/PÁGINAS SIGUIENTES
TROPICAL FOREST | BOSQUE TROPICAL
Andasibe-Mantadia National Park |
Parque Nacional Andasibe-Mantadia
Madagascar

NICK GARBUTT

NOTE TO THE READER

The term "primary forest" in this book covers a broad range of natural forest types that are undisturbed by industrial-scale land uses, such as logging, mining, human-caused fires, and dam and road construction. Primary forests are the result of natural ecological processes; they have the full complement of their evolved, characteristic plant and animal species, their soil and water have not been polluted, and their tree cover is largely continuous. Primary forests are found in all climates—tropical, boreal, and temperate—wherever there is sufficient rainfall to support a canopy of trees. The different climatic and environmental conditions found globally, along with the distinct evolutionary histories of the continents, contribute to the extraordinary natural diversity of the world's primary forests.

A few other terms are worth noting. A "structurally intact" forest landscape is a largely continuous forest area that has not been fragmented into smaller blocks, whereas a "biologically intact" forest landscape is populated by the plant, animal, fungal, and microbial species that have evolved in and are characteristic of the ecosystem, including large predators at the top of the food chain. "Ecological intactness" refers to landscapes where ecological processes remain in a healthy and unimpeded state, including large-scale processes, such as those involving migratory species and hydroecological flows. Given the long association of Indigenous Peoples with primary forests, we can also recognize a "bioculturally intact" forest landscape, where the traditional custodial communities still reside along with their cosmology and sacred wisdom, their knowledge of natural history (including the ecological relations of plants, animals, habitats, ecosystems, climate, and use and management of natural resources), and their cultural heritage, including oral histories, ceremonies, and other traditional practices.

TEMPERATE FOREST | BOSQUE TEMPLADO
Nothofagus | Southern beech | Hayas del sur
Araucaria araucana | Monkey puzzle tree | Pino araucaria
Villarrica National Park | Parque Nacional Villarrica
Chile
TILMAN JAEGER

NOTA AL LECTOR

En este libro el término "bosque primario" comprende a una amplia gama de bosques naturales que aún existen sin las perturbaciones producidas por el uso industrial del suelo a gran escala, como la industria forestal, la minería, los incendios antropogénicos o por la construcción de presas y caminos. Los bosques primarios son resultado de procesos ecológicos naturales y cuentan con la totalidad de las especies de plantas y animales de su proceso evolutivo propio. En los bosques primarios, las aguas y suelos no han sido contaminados y en su gran mayoría la cubierta vegetal es relativamente continua. Los bosques primarios se encuentran en todos los climas—tropical, templado y boreal—en donde existe suficiente precipitación para sustentar el dosel arbóreo. Las diferentes condiciones climáticas y ambientales del mundo y las diversas historias evolutivas de los continentes contribuyen a la extraordinaria diversidad natural de los bosques primarios de la Tierra.

Merece la pena destacar algunos otros términos. Como por ejemplo, un paisaje forestal "estructuralmente intacto" indica que se trata de una gran superficie boscosa continua que no ha sido fragmentada en parcelas más pequeñas; mientras que un paisaje boscoso "biológicamente intacto" es aquel que está poblado por las especies de plantas, animales, hongos y de microorganismos característicos que han evolucionado en el ecosistema, incluyendo a los grandes depredadores en la cima de la cadena alimenticia. "Integridad Ecológica" hace referencia a los paisajes en donde los procesos ecológicos conservan un estado saludable y sin restricciones, incluyendo los procesos a gran escala como los que involucran especies migratorias y los flujos hidroecológicos. Debido a la prolongada asociación que existe entre las Poblaciones Indígenas con los bosques primarios, se puede distinguir también la existencia de un paisaje "bioculturalmente intacto", en el que las comunidades tradicionales aún radican, son custodios y de allí conservan su cosmogonía y su sabiduría sobre lo sagrado, así como su conocimiento de la historia natural (que incluye las relaciones de las plantas, animales, los hábitats, los ecosistemas, el clima y el uso y manejo de los recursos naturales), así como su herencia cultural que incluye las historias orales y sus prácticas tradicionales y ceremoniales.

GLOBAL FOREST COVER
COBERTURA FORESTAL GLOBAL

Intact Forest Landscapes |
Paisajes Boscosos Intactos

Current Forest |
Bosques en la era actual

Pre-agricultural era forest |
Bosques antes de la era agrícola

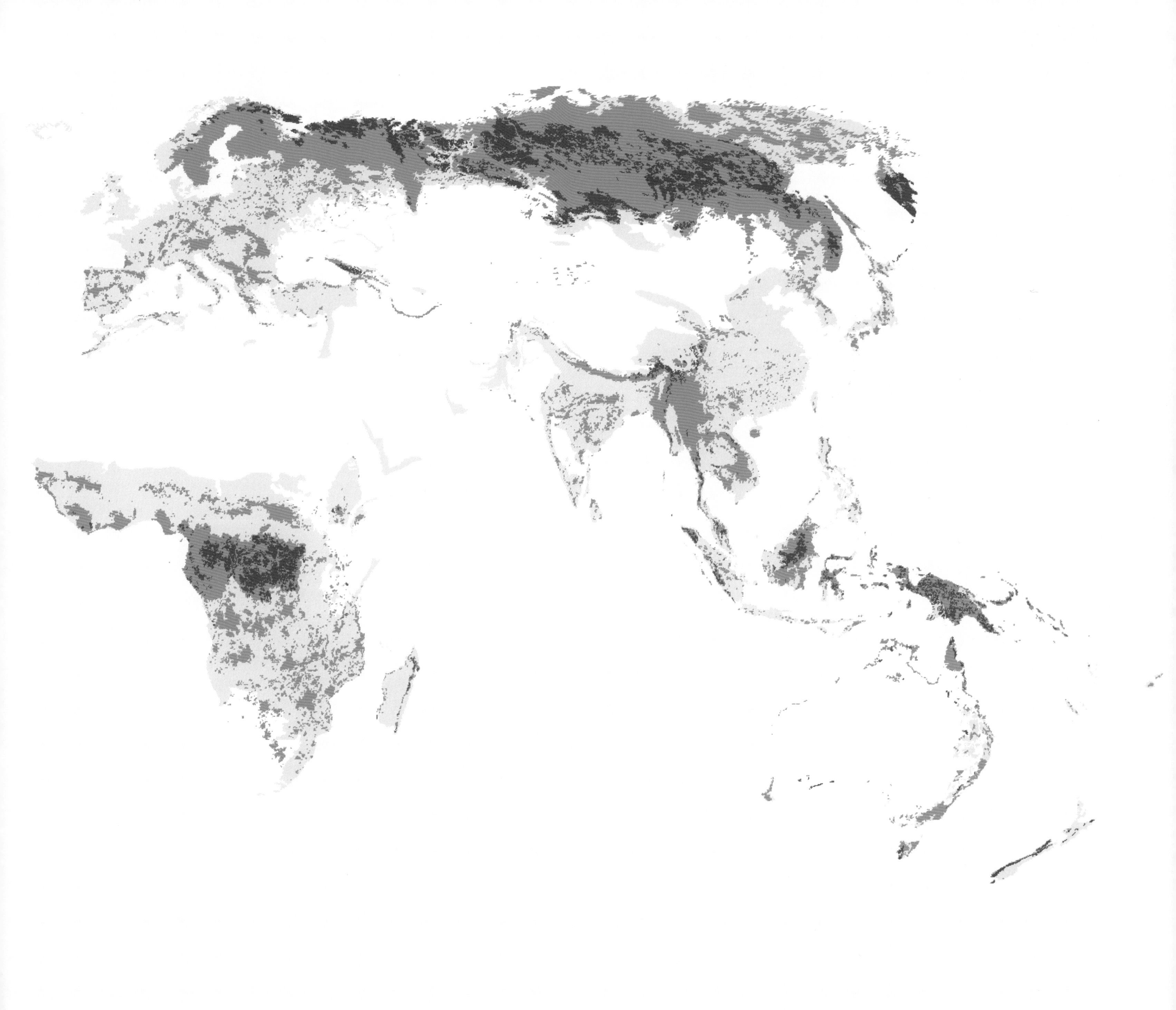

1 Saving Primary Forests
Salvando los Bosques Primarios

FEW NATURAL ENVIRONMENTS engage the senses as quickly and as powerfully as a primary forest with its giant trees, dense vegetation, and wild animals. From the cooler microclimate under the canopy to the potent fragrances of rich soils or flowering trees, from wildly colored plants and animals to the constant but ever-changing songs of insects, birds, water, and wind, and from the incredible purity of streams to the almost infinite array of plant, animal, and mineral textures, the physical impact of a primary forest is immediate and all-encompassing. A primary forest also sharpens the senses, heightening our instincts. To walk or paddle into a primary forest's rich, complex, and ancient web of life is to experience a rapid and total immersion in a vibrant new world, as complete as diving under water or the moment when the theater lights dim and the curtain rises. But how people respond to primary forests after this initial impact is a far more complicated story, in part because primary forests are such a profound study in contrasts.

Primary forests can be mesmerizing in their beauty: from the soaring majesty of ancient trees, hundreds or even thousands of years old—giant sequoias, Australian mountain ashes, or Patagonian cypresses—to the awesome power of a clouded leopard and the ethereal splendor of a violet-tailed sylph hummingbird. But primary forests are also often chaotic: their vegetation can be tangled, jumbled,

TEMPERATE FOREST | BOSQUE TEMPLADO
Eucalyptus regnans | Australian mountain ash | Fresno australiano de montaña
Great Otway National Park, Victoria | Gran Parque Nacional Otway, Victoria
Australia
THEO ALLOFS

POCOS AMBIENTES NATURALES atraen tan poderosamente nuestra atención como lo hacen los bosques primarios con sus árboles gigantes, su densa vegetación y su fauna. Desde el refrescante microclima bajo el dosel arbóreo, hasta las potentes fragancias de los suelos y los árboles en flor. Desde los brillantes colores de las plantas y animales a la constante y variada melodía de los insectos, de los pájaros, las aguas y los vientos. Desde la increíble pureza de los arroyos al casi infinito despliegue de texturas de plantas, animales y minerales. Tal es la presencia física en la que de inmediato nos envuelve el bosque primario. El bosque primario además estimula los sentidos y agudiza nuestros instintos. Caminar o remar por la rica, compleja y antigua red viviente del bosque primario es experimentar de pronto una inmersión total en un nuevo mundo vibrante; tan absorbente como bucear bajo el agua, o como cuando las luces del teatro se atenúan y el telón se levanta. De cómo las personas responden ante este impacto inicial que el bosque primario nos impone, esto es una cuestión mucho más complicada, en parte porque estos bosques son un profundo estudio de contrastes.

Los bosques primarios pueden cautivarnos por su belleza, como la majestuosidad de las secuoyas milenarias o el fresno de montaña australiano o el ciprés de la Patagonia. El asombroso poderío de la pantera nebulosa y el esplendor etéreo del colibrí silfe. En ocasiones caótico, el bosque primario puede presentar una vegetación intricada, enmarañada y confusa. Los bosques primarios también pueden ser lugares sombríos, oscuros y enigmáticos. Incluso a mediodía pueden ser sorprendentemente tenebrosos bajo el denso dosel de los árboles. Por otro lado, un bosque claro y lleno de luz de día, o de

and messy. They can also be gloomy, shadowy, and haunting places. Even at midday it can be surprisingly dark under a closed canopy of trees. On the other hand, a forest clearing bathed in sunlight or moonlight is a place of dreamlike brightness, and the kaleidoscope effect of rays of light endlessly reflected by thick foliage can be enchanting.

Primary forests sustain an abundance of life and often an extraordinary diversity of species. In fact, they include the most biodiverse habitats on Earth. The lives of many of these species are interwoven through intricately balanced symbiotic relationships that have evolved over millennia. Yet relationships between forest species can also be predatory or parasitic, and a defining characteristic of many primary forests is the ubiquitous presence of dead trees and branches and the thick layer of pungent, decaying vegetation on the forest floor. Primary forests are places of great concentrations of life, but they are also places where the cycle of life and death is never far from view.

Largely because of their remarkable biodiversity, primary forests are ecosystems of great strength and resilience, a kind of superorganism supported by massive old trees that constantly adapts to changes resulting from natural disturbances such as fires, floods, or tree falls. At the same time they are fragile, and industrial activity can rapidly change their structure and composition, altering them in ways that are at worst irreversible and at best require decades or even centuries to recover from.

Given their enormous biological productivity, primary forests are essential for many local communities and Indigenous Peoples who live in or near them. They are nurturing places that provide shelter and essential resources, including food, medicine, and fresh water. They are especially important as a safety net in times of crisis, and as a result, inspire deep reverence and gratitude. However, the human experience in primary forests also invokes fear. Primary forests contain life-threatening large mammals and venomous reptiles. There is also the danger of getting lost or exposed to harsh elements, as well as our fear of the unknown, because primary forests can be vastly complex and difficult to understand. More generally, fear arises from a landscape not under human control, which sometimes triggers a corresponding impulse to tame that landscape.

Forest mythology certainly reflects the dichotomy between forests as nurturing, harmonious places and forests as dangerous and frightening. Forest myths include fairies, elves, and benevolent spirits, but they also depict a full spectrum of evil spirits—demons, genies,

luz de luna, puede encantarnos por sus brillos de ensueño y los efectos caleidoscópicos de sus reflejos en la maraña del denso follaje.

Los bosques primarios dan sustento a vida abundante y en ocasiones a una extraordinaria diversidad de especies. De hecho, en ellos encontramos a los hábitats más diversos de la Tierra. La vida de muchas de estas especies está relacionada de manera equilibrada en intrincadas relaciones simbióticas resultado de miles de años de evolución. También las relaciones entre especies pueden ser parasitarias o predatorias a tal punto, que en muchos bosques primarios su característica distintiva es la omnipresencia de árboles y ramas muertas y una gruesa capa de vegetación en descomposición de olor acre en el suelo del bosque. Si bien los bosques primarios son sitios de gran concentración de vida, también son lugares en donde los ciclos de la vida y la muerte siempre están presentes.

En gran medida debido a su gran biodiversidad, los bosques primarios son ecosistemas de gran fortaleza y resiliencia, algo así como una especie de súper-organismo soportado por enormes árboles vetustos que constantemente se adaptan a los cambios que resultan de alteraciones como los fuegos forestales, las inundaciones y las caídas de árboles. Al mismo tiempo son frágiles, y las actividades industriales pueden cambiar rápidamente su estructura y composición, alterándolos de forma irreversible en el peor de los casos, o en el mejor de éstos requiriendo de decenas o incluso cientos de años para recuperarse.

Por su enorme productividad biológica, los bosques primarios son esenciales para muchas comunidades y Pueblos Indígenas que viven en ellos o cerca de ellos. Los bosques son sitios de sustento pues proporcionan cobijo y recursos esenciales como alimentación, medicamentos y agua dulce. Son especialmente importantes como red de seguridad durante tiempos de crisis y por ello infunden profundo respeto y reconocimiento. Sin embargo, en la experiencia humana los bosques primarios también provocan temor pues allí se guarecen peligrosos mamíferos y serpientes venenosas. Además existe riesgo de perderse y quedar a merced de los elementos. También nos infunde miedo lo desconocido pues los bosques primarios pueden ser considerablemente complejos y difíciles de comprender. En general el temor se presenta ante el paisaje fuera del control humano, aunque a su vez ese mismo temor dispara el impulso a domesticarlo.

Sin duda, la mitología de la floresta refleja la dicotomía entre el bosque como el sitio de sustento en harmonía y a la vez peligroso

witches, jinns, and ogres. In some cases the spirits are malevolent only if crossed, for example if the tree they live in is cut down. In some cases they can be both good and evil, in other cases they are merely mischievous, and in yet other cases good and evil spirits exist side by side. One of the best recent examples of the popular connection with forest spirits is that of the Tree Ents in Tolkien's *The Lord of the Rings,* more widely known through Peter Jackson's Hollywood film trilogy. The Tree Ents are wise, deliberate, and patient, but when their forest is degraded by Orcs, they spring to action, attack in force, and contribute mightily to the destruction of the forces of evil. The interplay between good and evil in forest mythology around the world is not the whole story, however, because primary forests also transcend this dichotomy.

The essence of a primary forest, and its most distinguishing feature, is the presence of large, ancient trees. Rooted in the Earth and reaching for the sky, massive, and home to countless species that depend on them for their tree cavities, canopy and nesting habitats, mosses, insects, or other special characteristics, ancient trees are powerful and impressive. Without question one of the most moving experiences in nature is to be in the company of towering trees, among the largest and the oldest living entities in existence. The scale of these giants is hard to fathom. The tallest tree in the world, a coastal redwood called Hyperion in Redwood National and State Parks in California, was measured at more than 115 meters (and is still growing), which is taller than London's Big Ben or New York's Statue of Liberty. The tallest flowering plant, also the tallest hardwood tree, is the Centurion, an Australian mountain ash about 100 meters tall, located in the state of Victoria in Australia. The Great Banyan Tree in the Acharya Jagadish Chandra Bose Indian Botanic Garden in India occupies an area of 1.5 hectares—larger than a football field. The largest tree by wood volume, the General Sherman Tree in Sequoia National Park in California, occupies about 1,500 cubic meters, with a circumference at the base of 31 meters and a soaring height of 88 meters. The oldest tree in the world, a Great Basin bristlecone pine in the White Mountains of California, is more than five thousand years old, predating Egypt's pyramids. There are many curiosities in all sizes to marvel at in a primary forest, but mighty trees are both fascinating and humbling to behold.

It is not a surprise, therefore, that the "Tree of Life" has been a religious and cultural symbol since ancient times. In some societies it appears as a huge tree with magical powers, for example fruit that

y atemorizante. Los mitos del bosque incluyen tanto a las hadas, duendes y espíritus benévolos como a un amplio espectro de espíritus malignos—demonios, genios, brujas, ogros y otros como los jinnes del islam. En algunos casos, los espíritus son malignos solamente si se les molesta, por ejemplo si se corta el árbol en donde habitan. En otros casos pueden ser tanto buenos como malos, y en otros casos pueden simplemente ser traviesos o incluso se da el caso en el que los espíritus buenos y malos coexisten uno al lado del otro. Uno de los casos más recientes de esta asociación popular entre los espíritus del bosque es la de los Entes de los Árboles de *El Señor de los Anillos* de Tolkien, mejor conocido por la trilogía cinematográfica de Hollywood. Los Entes de los Árboles son sabios, bien intencionados y pacientes, pero cuando los Ogros ultrajan sus bosques reaccionan con vigor para destruir las fuerzas del mal. Sin embargo, la relación entre el bien y el mal en la mitología del bosque va aún más allá, pues los bosques primarios también trascienden esta simple dicotomía.

La escencia y el rasgo mas caracteristico de los bosques primarios es la presencia de antiguos árboles. Enormes, arraigados en la tierra y elevándose a los cielos, estos árboles son el hogar de innumerables especies que dependen de ellos y de sus cavidades, sus copas y sus hábitats de anidación, musgos, insectos. Todas estas características especiales hacen a los viejos árboles seres notables y poderosos. Sin duda, una de las experiencias más conmovedoras que existe es estar en la naturaleza en la presencia de inmensos árboles, los cuales se encuentran entre las entidades vivas de mayor edad. La escala de estos gigantes es difícil de estimar. El árbol más alto del mundo, una secuoya costera llamada Hyperion en el Parque Nacional y Estatal de Secuoyas de California, alcanza una altura mayor de 115 metros—y aún está en crecimiento, superando en altura al reloj Big Ben de Lóndres o la Estatua de la Libertad de Nueva York. La planta floreciente más alta, que también es el árbol de madera dura más alto, es El Centurión, un fresno australiano de alrededor de 100 metros de altura que se encuentra en el estado de Victoria, Australia. El Gran Banyán del Jardín Botánico Acharya Jagadish Chandra Bose de la India, ocupa una superficie de 1.5 hectáreas—más grande que un campo de futbol. El árbol con mayor volumen de madera es el General Sherman, localizado en el Parque Nacional de Secuoyas en California, con un volumen aproximado de 1,500 metros cúbicos, 31 metros de circunferencia en su base y una altura de 88 metros. El árbol más antiguo del mundo es un pino con piñas espinosas que vive en la Gran Cuenca

confers immortality. In others cultures, it appears as a cosmological tree, either at the center of the Earth, holding up the Earth, or connecting the heavens to the underworld. In still other places, it appears as an icon or symbol, and many cultures include several different manifestations of the Tree of Life.

Ancient civilizations in the Middle East include some of the earliest records of the Tree of Life: the Sumerian sacred tree, the Babylonian Tree of Life (Kiskannu) at Eridhu, as well as the Babylonian cosmogonic tree at the center of Earth, and the Persian Haoma tree, whose nectar bestowed immortality and whose seeds created all the trees in the world. The Tree of Life also appears in the Hebrew Bible, the Old Testament, and the Koran. The Bodhi (pipal) tree, under which Buddha was enlightened, is sacred to Buddhists, while the banyan tree symbolizes the Hindu Trimurti of Lord Vishnu, Lord Shiva, and Lord Brahma, and the jambu tree, whose fruit also provides immortality, is at the center of the Hindu universe. Yggdrasil (an ash tree) is the cosmological tree in Norse mythology, with a serpent lying beneath it and an eagle on top, as is the ceiba (kapok) tree in Mayan mythology. In Chinese mythology a magical peach tree, with a dragon at its base and a phoenix at the top, produces a peach every three thousand years that confers immortality to whoever eats it. The Tree of Life continues to be celebrated in many cultures today. The araucaria (monkey puzzle) tree, for example, still lies at the center of the cosmovision of the Pehuenche people in southern Chile.

The Tree of Life concept is so pervasive that it has not only persisted over millennia but has also been used as a symbol in a wide variety of nonreligious contexts. For example, the Tree of Life has important meaning as a scientific symbol. Early in the nineteenth century, the tree was used by scientists to illustrate relationships between species, and then later in the century Darwin used it in his *Origin of Species,* to show how evolutionary relationships might be mapped. Many phylogenetic trees have been developed for species since then, and in 2015 the Open Tree of Life project launched the first draft of an online Tree of Life combining all existing phylogenetic trees, totaling 2.3 million species and still counting. Another modern, secular, and perhaps unexpected representation of the Tree of Life can be found in Disney World in Florida, where an artificial Tree of Life is the central element in the Animal Kingdom theme park. The olive branch, which was first used as a symbol of peace in Ancient Greece and was adopted as the symbol of the United Nations, is closely related to the Tree of Life.

de las Montañas Blancas de California, con una edad mayor a los cinco mil años, antecesor a las Pirámides de Egipto. Aunque hay una gran cantidad de curiosidades de todos los tamaños en los bosques primarios, son los árboles imponentes los que con su presencia fascinan y provocan respeto.

No sorprende que el "Árbol de la Vida" haya sido un símbolo religioso y cultural desde tiempos inmemoriales. En algunas sociedades es representado como un enorme árbol con poderes mágicos y frutos que confieren la inmortalidad. En otras culturas aparece como un árbol cosmológico, ya sea en el centro de la Tierra sosteniendola o conectando los cielos con el inframundo. En otros sitios aparece como un símbolo o un ícono y muchas culturas presentan manifestaciones diferentes del mismo Árbol de la Vida.

Las antiguas civilizaciones del Medio Oriente tienen algunos de los primeros registros del Árbol de la Vida. El árbol sagrado de los sumerios; el Árbol de la Vida de Babilonia (Kiskanu) de Eridhu, así como el árbol cosmogónico de Babilonia en el centro de la Tierra y el árbol persa Haoma, cuyo néctar confería la inmortalidad y cuyas semillas originaron todos los árboles del mundo. El Árbol de la Vida también aparece en la Biblia hebrea, en el Antiguo Testamento y en el Corán. El árbol Bodhi (pipal) bajo el cual Buda recibió la iluminación, es un árbol sagrado para los budistas, mientras que el árbol banyan simboliza al Trimurti Hindú del Señor Visnú Señor Shiva y Señor Brahma. El árbol jambú, cuyo fruto también confiere la inmortalidad, está en el centro del universo hindú. El Yggdrasil (un fresno) es el árbol cosmológico de la mitología nórdica que se representa con una serpiente descansando en su base y un águila en su copa, como es el caso de la ceiba (kapok) en la mitología malaya. En la mitología china, un árbol mágico con un dragón en su base y un ave fénix en su copa, produce un durazno cada tres mil años que confiere la inmortalidad a quien lo coma. Es así como en la actualidad, el Árbol de la Vida se sigue celebrando en muchas culturas, como por ejemplo la araucaria, que persiste en el centro de la cosmovisión del pueblo pehuenche en el sur de Chile.

El concepto del Árbol de la Vida es tan dominante que no solo ha persistido por miles de años, sino que también ha sido utilizado como símbolo en una gran variedad de contextos laicos, por ejemplo, el Árbol de la Vida tiene un importante significado como símbolo científico. A principios del Siglo XIX, el árbol fue utilizado por los científicos para ilustrar la relación entre las especies y más tarde Darwin lo utilizó en su *Origen de las Especies* para ilustrar cómo debían

The fact that the Tree of Life and sacred forests have been embedded in religious scripture and human cultures for millennia and that primary forests remain at the heart of the spiritual beliefs of many indigenous cultures around the world has not been enough to stop the destruction of the Earth's forests. We have now lost about one-third of our forests, with much of the loss occurring since the middle of the twentieth century, and the destruction continues. Nonetheless, the enduring imagery of the ancient tree as the source of life on Earth, and of primary forests as a source of enlightenment, abundance, and harmony, is worth dwelling on. This core idea, enshrined in so many cultures and religions for at least the past seven thousand years, is precisely what modern science is now confirming with remarkable consistency: that forests, and in particular primary forests, which still have most or all of their plant and animal species, are critical to the health of both people and the planet, and that their continued degradation and loss threatens human well-being everywhere. It represents a remarkable convergence between ancient cultures and beliefs and the most modern science.

The scientific evidence that primary forests are unique and provide irreplaceable benefits has strengthened in recent years. These benefits are described in greater detail in chapter two, but are worth summarizing here. First, we now know that primary forests, particularly in the tropics, are not only the most biodiverse ecosystems, containing up to 80 percent of the planet's terrestrial biodiversity, but also that the many species that inhabit them depend on their undisturbed state and cannot survive elsewhere. It has also become clearer that the full complement of primary forest fauna is critical to maintaining the structure and composition of primary forests, because animals and plants interact to provide key functions, such as seed dispersal and pollination. Many large mammals and birds play an essential role in eating fruit and dispersing the seeds elsewhere in the forest, whereas some trees and plants require pollination by a particular species—a bird, butterfly, bee, nectar-feeding bat, or even a monkey—to

FOLLOWING PAGES/PÁGINAS SIGUIENTES
TEMPERATE FOREST | BOSQUE TEMPLADO
Sequoia sempervirens | California redwood | Secuoya de California
Redwood National and State Parks, California |
Parque Nacional y Estatal de Redwood, California
United States of America | Estados Unidos de América
ART WOLFE/ARTWOLFE.COM

de ser las relaciones evolutivas. Desde entonces se han desarrollado muchos árboles filogenéticos para las especies. En 2015, el proyecto Árbol Abierto de la Vida propuso el primer borrador del árbol de la vida en línea, combinando todos los árboles filogenéticos existentes, contabilizando hasta la fecha un total de 2.3 millones de especies. Otra representación moderna, secular y quizás inesperada del Árbol de la Vida se puede encontrar en el Mundo Disney de Florida, en donde un Árbol de la Vida (de construcción artificial) es el elemento central del parque temático del Reino Animal. Asimismo, el ramo de olivo, mismo que está cercanamente relaciondo al Árbol de la Vida, fue utilizado primero como símbolo de paz entre los antiguos griegos y más tarde fue adoptado por las Naciones Unidas.

El hecho de que el Árbol de la Vida y el bosque sagrado hayan sido consagrados en las escrituras religiosas y en las culturas humanas durante miles de años, y que el bosque primario persista en el corazón de las creencias religiosas de muchas culturas nativas alrededor del mundo, no ha sido suficiente para detener la destrucción de los bosques. Hasta ahora se han perdido un tercio de nuestros bosques, la mayoría durante la segunda mitad del Siglo Veinte, y la destrucción continúa. A pesar de ello, merece la pena detenernos en esa tenaz metáfora del antiguo árbol como origen de vida en la Tierra y del bosque primario como fuente de sabiduría, abundancia y armonía. Esta idea central consagrada en tantas culturas y religiones por menos durante los últimos siete mil años, es precisamente lo que la ciencia moderna está confirmando hoy en día con una consistencia notable: los bosques y en particular los bosques primarios que conservan a la mayoría de sus especies de plantas y animales, son fundamentales para la salud de la humanidad y para la salud del planeta. Que su incesante degradación y pérdida son una amenaza para el bienestar de los seres humanos. Lo anterior representa una notable convergencia entre las antiguas creencias culturales y las ciencias más avanzadas.

Recientemente se han fortalecido las evidencias científicas sobre la singularidad irreemplazable de los beneficios que proporcionan los bosques primarios. Aunque estos servicios serán tratados en el Capítulo 2 con mayor profundidad, aquí es bueno señalar que actualmente sabemos que los bosques primarios, en particular los bosques tropicales, no son solo los ecosistemas más diversos que existen, con hasta el 80 por ciento de la biodiversidad terrestre del planeta, sino además, que la mayoría de las especies que los habitan dependen directamente de su estado de aislamiento y que no pueden subsistir de

reproduce. If these seed dispersers or pollinators are no longer present because they have been hunted to extinction or displaced by human activity, it may not be possible for some tree species to regenerate, resulting in a significantly altered forest habitat.

The primary forest's ecological integrity and exceptional biodiversity underpin many of the ecosystem services it provides. For example, Earth's terrestrial ecosystems maintain extraordinary stores of carbon that have accumulated over millennia and are larger than the carbon stored in the atmosphere, or in coal or oil. Most of this carbon is found in forests, and, as will be seen in chapter two, primary forests contain substantially more carbon above and below ground than the carbon stored in logged or otherwise degraded forests. This happens because most of the above-ground carbon (the carbon in vegetation, root systems, and forest litter, rather than in the soil) is stored in large, old trees, which usually are the first to be removed by logging operations. Until recently, it was thought that these older trees reached a point where they no longer absorbed carbon. But this theory has been disproven: old trees absorb carbon at a slower rate than younger trees, but they still continue to grow and act as a carbon "sink."

It is the rich biodiversity of primary forests—many tropical forests have several hundred tree species per hectare—that makes them more resilient to disturbance and environmental change, which in turn makes the carbon in a primary forest more securely stored than in a degraded or planted forest. Researchers have found that in the tropical forests of Amazonia only 1 percent of forest tree species account for 50 percent of the carbon capture value of these forests. What is more, if one looks at the species making up that 1 percent, most are dispersed by large forest frugivores, such as spider monkeys, large frugivorous birds, tapirs, and even forest-floor tortoises.

The ability of primary forests to absorb and store carbon makes protecting them critical to achieving a safe transition away from fossil fuels and limiting dangerous climate change: we must protect the carbon stocks in primary forests and limit the release of carbon into the atmosphere that occurs when we clear or degrade them. Moving to a carbon-free economy is a slow and challenging process, but forest protection can play a critical role in helping to buy time for this transition to occur. A recent study estimates that if we stopped all tropical deforestation and degradation, restored degraded forests, and allowed cleared areas to be reforested, tropical forests alone could provide as much as half the mitigation needed over the next

otra manera. También se ha comprendido cabalmente que la fauna del bosque primario es fundamental para la conservación de la estructura y composición del mismo, puesto que la interacción entre animales y plantas cumple con funciones claves como la dispersión de semillas y la polinización. Muchos de los grandes mamíferos y las aves juegan un papel esencial para la dispersión de semillas alrededor del bosque, mientras que algunas plantas y árboles requieren para su reproducción de la polinización de especies particulares—aves, mariposas, abejas, murciélagos o incluso monos. Si estos dispersores de semillas o polinizadores no están presentes porque han sido cazados hasta su extinción o desplazados por las actividades humanas, la regeneración de las especies arbóreas no será posible, dando como resultado una alteración importante del hábitat de los bosques.

La integridad de los bosques primarios y su excepcional biodiversidad acentúan muchos de los servicios ecológicos que éstos proporcionan. Por ejemplo, los ecosistemas terrestres de la Tierra son receptáculos extraordinarios de carbono que se ha venido acumulando durante miles de años. Es incluso mayor que todo el carbono presente en la atmosfera, o incluso el carbón mineral o del petróleo. La mayoría de este carbono se localiza en los bosques y como se verá en el Capítulo 2, los bosques primarios contienen sustancialmente más carbón sobre y debajo de la tierra que el almacenado en la madera de los bosques talados o en los bosques degradados. Esto sucede porque la mayoría del carbono expuesto sobre la superficie de la tierra (por ejemplo, en los suelos, en la maleza, en los sistemas radiculares o en la hojarasca) es almacenado en los viejos árboles que normalmente son los primeros en ser eliminados en las operaciones de tala. Hasta hace muy poco, se creía que estos viejos árboles habían llegado al punto de no ser capaces de absorber carbono, pero esta teoría ha sido rechazada: los árboles viejos absorben el carbono a una tasa menor que los árboles jóvenes, pero siguen creciendo y actuando como sumideros de carbono.

Es la gran biodiversidad de los bosques primarios—muchos bosques tropicales contienen varios cientos de especies de árboles por hectárea—lo que los hace más resilientes frente a las perturbaciones y al cambio ambiental, lo que a su vez asegura el almacenamiento de carbón en estos bosques más que en aquellos que han sido degradados o reforestados. Investigadores han hallado que en los bosques Amazónicos solamente el 1 por ciento de los árboles dan cuenta del 50 por ciento del carbono capturado. Lo que es más, si se

fifty years to transition away from fossil fuels to cleaner energy. Climate and other benefits will, of course, be even greater if we also protect primary forests and restore degraded forests in boreal and temperate biomes. The essential role of primary forests in helping to avert a climate change crisis at the eleventh hour is fortunately better understood today than previously and was reflected in the 2015 Paris agreement of the United Nations Framework Convention on Climate Change (UNFCCC), which clearly emphasized the importance of maintaining ecosystem integrity in the fight against climate change.

Primary forests are dependent on receiving sufficient water to support the growth and maintenance of the canopy cover, one of their defining features. Trees need a lot of water to draw down CO_2 from the atmosphere and to grow new biomass. Forests, therefore, are generally found in places with significant rainfall. However, primary forests also provide substantial benefits in terms of fresh water. For every kilogram of CO_2, plants pump about 120 liters of water from the soil up into the atmosphere. The amount of water vapor in the atmosphere in the surrounding region therefore changes with the presence or absence of forest cover. The water transpired from large expanses of forest, such as the Amazon forests of South America or the Congo Basin, serves to recycle precipitation, resulting in a wetter regional climate. Conversely, deforestation reduces precipitation recycling and contributes to climatic drying.

Forests also control water runoff, intercepting rain, storing water in the soil, stabilizing stream banks and steep slopes, and providing a buffer that can lead to a more regulated flow of water. Furthermore, a primary forest compared to a logged forest yields a more sustained volume of watershed flow, optimizing down-slope water supply.

One of the most significant benefits of forests is the ability to maintain water quality by minimizing soil erosion and reducing sedimentation of wetlands, ponds, lakes, streams, and rivers, as well as blocking and filtering other water pollutants. Primary forests provide the best safeguard against erosion, sedimentation, and pollution from other contaminants, a critical function given the very large amounts of fresh water contained in primary forests globally. This is also why primary forests are indispensable for maintaining much of the world's freshwater biodiversity, which is often found in streams, wetlands, and lakes within primary forests. By some estimates, Canada's boreal forests include a quarter of the world's wetlands and almost 80 million hectares of surface fresh water, most of which is low in pollutants.

observa detenidamente a las especies que constituyen el 1 por ciento, la mayoría son diseminadas por todo el bosque por animales frugívoros como el mono araña, las grandes aves, tapires o incluso tortugas.

La capacidad de los bosques primarios para absorber y almacenar el carbono hace fundamental su protección para lograr de manera segura la transición hacia otras fuentes de energía no fósil y reducir los peligros del cambio climático: debemos proteger las reservas de carbono de los bosques primarios y limitar la liberación del carbono a la atmosfera que se produce al talar o degradar el bosque. Un estudio reciente estima que si detuvieramos la deforestación y la degradación en los trópicos y permitiéramos que éstos fueran reforestados y restaurados, esto por si sólo podría constituir la mitad de la mitigación necesaria para los próximos cincuenta años que requerirermos para la transición a otras fuentes de energía más limpia que la de los combustibles fósiles. Es claro que los beneficios serían mayores si los bosques boreales degradados y otros biomas fuesen restaurados. Afortunadamente, hoy se entiende mejor que nunca, el papel fundamental que juegan los bosques primarios para prevenir un cambio climático crítico, como se ve reflejado en los acuerdos de París 2015 en la Convención Marco de las Naciones Unidas sobre el Cambio Climático (UNFCCC, por sus siglas en inglés) que de manera clara enfatiza la importancia de la conservación de la integridad de los ecosistemas para combatir el cambio climático.

Una condición distintiva de los bosques primarios es su dependencia de la captación de suficiente agua para sustentar el crecimiento y conservación de la cobertura boscosa. Los árboles requieren de mucha agua para absorber el CO_2 atmosférico durante la formación de nueva biomasa. Por ello, los bosques generalmente se concentran en sitios con mucha precipitación. Sin embargo, los bosques primarios también proporcionan beneficios sustanciales en cuanto al agua dulce. Por cada kilogramo de CO_2, las plantas transpiran a la atmósfera alrededor de 120 litros de agua obtenida del suelo, incrementando la cantidad de vapor de agua en la microregión, según sea la presencia o ausencia de cubierta forestal. La cantidad de agua transpirada por una gran extensión boscosa, como la del Amazonas en Sudamérica, o la de la cuenca del Congo, forma parte de un ciclo de precipitación que tiene como resultado la formación de un clima regional más húmedo. De manera inversa, la deforestación produce la reducción de este proceso y contribuye a las sequías.

Los bosques también controlan las escorrentías interceptando el

Primary forest canopies, especially in the tropics, dramatically modify microclimatic conditions. The dense forest canopy reflects and absorbs sunlight during the day, reducing the amount of energy reaching the understory and the ground. Less energy reaching the ground reduces surface evaporation and raises humidity levels compared to degraded forests. The microclimate of primary forests therefore buffers the understory plants and animals from temperate highs and lows and local droughts. The dampened microconditions also make primary forests less vulnerable to wildfire. Major ecological processes, including photosynthesis, decomposition, and the spread of diseases, are all regulated by the special microclimate created by these forests.

Primary forests are also critical for sociocultural reasons. Approximately 400 million people are estimated to depend directly on forests for their livelihoods, and many more benefit indirectly. The cultures of many Indigenous Peoples are inextricable from the forest, which they do not view as a separate entity but as their home and central to their cosmologies. These biocultural relationships are strongly evident in the remaining Indigenous Peoples living in voluntary isolation in remote areas of Amazonia.

There are numerous examples of the enormous contributions Indigenous Peoples make to primary forest conservation, from the recent, First Nations–led World Heritage nomination of Pimachiowin Aki, Canada, a 3.34-million-hectare area of extremely intact boreal forest, to the strong indigenous support of the Sierra del Divisor National Park in Peru, to the vast Kaa-Iya National Park in the dry forests of Bolivia's Gran Chaco, this last success rooted in indigenous opposition to a quickly approaching agricultural frontier. The Kayapó in Brazil are known the world over for their impassioned defense of their 11.5-million-hectare territory in the Rio Xingu region from logging and mining pressures. Immediately to the south in the Xingu region, sixteen tribes of Indigenous People also succeeded in protecting another 3 million hectares in the Xingu indigenous territory. Most recently, the Trio and Wayana Indigenous Peoples declared a 7.2-million-hectare indigenous territory called the Southern Suriname Conservation Corridor as protected; together with adjacent, established indigenous lands in Brazil, roughly 11 million hectares are now protected. Members of the Prey Lang Community Network in Cambodia are working to protect roughly 360,000 hectares of forest, with a core of about 90,000 hectares of some of the last primary forests in the country, and the Tenkile Conservation Alliance, a network of fifty communities

agua de lluvia y almacenándola en los suelos; estabilizando los bancos ribereños y las pendientes pronunciadas, así como amortiguando los escurrimientos superficiales. Más aún, el bosque primario tiene mayor capacidad de regulación del flujo de agua que un bosque talado, optimizando además el abasto aguas abajo.

Uno de los beneficios más significativos del bosque es su capacidad para conservar la calidad del agua al minimizar la erosión del suelo, reduciendo a su vez la sedimentación en los humedales, lagunas, lagos, arroyos y ríos. Además, los bosques bloquean y filtran la contaminación, lo que constituye una función esencial a nivel global dada la gran cantidad de agua dulce contenida en los bosques primarios. Esta es la razón por la qué los bosques primarios son indispensables para la conservación de la biodiversidad de agua dulce a nivel mundial, que frecuentemente se encuentra en el bosque primario. Se estima que el bosque boreal canadiense contiene una cuarta parte de los humedales del mundo y cerca de 80 millones de hectáreas de agua dulce superficial, la mayoría con un bajo contenido de contaminantes.

El dosel de sombra del bosque primario, en particular en los trópicos, altera sustancialmente las condiciones del microclima. La densa cubierta boscosa refleja y absorbe la luz del sol durante el día reduciendo la cantidad de energía que llega al sotobosque y al suelo. Esto a su vez reduce la evaporación superficial y eleva los niveles de humedad. El microclima del bosque primario amortigua las variaciones térmicas y las sequias locales en beneficio de las plantas y animales del sotobosque.

Los bosques primarios son esenciales también por razones socioculturales. Entre muchos otros beneficios indirectos, se estima que aproximadamente 400 millones de personas dependen directamente de los bosques para su subsistencia. Las culturas de muchos Pueblos Indígenas tienen un vínculo inseparable con el bosque, al que no ven como a una entidad separada sino como su propio hogar y el centro de sus cosmogonías. Estas relaciones bioculturales son muy evidentes entre los Pueblos Indígenas que voluntariamente viven aún aislados en áreas remotas de la Amazonía.

Existen numerosos ejemplos de las enormes contribuciones de los Pueblos Indígenas a la conservación de los bosques primarios. Desde la reciente Primera Nominación de un Área de Legado Mundial liderada por Pueblos Originales en Pimachiowin Aki que logró la conservación de 3.34 millones de hectáreas de superficie de

in Papua New Guinea, is working to protect the Torricelli Mountain Range, which spans 200,000 hectares, and have it officially designated as a conservation area. Similarly, numerous community organizations in the Democratic Republic of the Congo are working to protect Virunga National Park from extractive activities.

The social and ecosystem benefits described above are significant and valuable from local and global perspectives. However, reflecting those benefits in economic terms is difficult and can be done only in part, as much of the value of primary forests cannot be measured in dollar terms. Despite considerable attention devoted by governments, multilateral organizations, non-governmental organizations, and some companies to valuing the "natural capital" of primary forests and other ecosystems, integrating those values into government accounts and budgets remains elusive. As a result, policy change regarding forests, and in particular primary forest conservation, has been slow.

There has been some success at capturing benefits—for example where large urban areas depend on forests for their water supply: roughly one-third of the world's largest cities (including New York City and Rio de Janeiro) receive a significant portion of their drinking water from forested protected areas, and many cities, such as Melbourne, have a water supply that is sourced from a carefully protected primary forest. At the international level, the United Nations developed natural accounting standards in 2012 (System for Environmental and Economic Accounts), the World Bank has worked with a number of governments toward national-level application of these standards, and efforts are underway to test natural capital accounting at regional scales. For example, Conservation International's Ecosystems Values, Assessment and Account (EVA) project allows nature's benefits to be incorporated into the official economic statistics as well as integrated with other relevant social and economic indicators to enhance decision making and planning. The EVA project is being implemented in San Martín, Peru, a region characterized by high biodiversity as well as progressive and innovative government policies that address threats to ecosystems, development, and livelihoods. This kind of information will help convince policy and decision makers that primary forests should be protected as they are more valuable and deliver more benefits if kept intact.

There also seems to be a growing willingness to pay for forest conservation by developed countries, as evidenced by payments in the billions of dollars made by Germany and Norway to tropical countries

bosque boreal extremadamente intacto en Canadá, al gran respaldo que brindaron los Pueblos Indígenas al Parque Nacional de la Sierra del Divisor en Perú. Tal es el caso del vasto bosque seco del Parque Nacional y área de manejo integrado Kaa Iya del Gran Chaco en Bolivia. Este último resultado de una fuerte oposición de los indígenas a la creciente expansión de la frontera agrícola. En la región del Río Xingú, los indígenas Kayapó de Brasil se dieron a conocer en todo el mundo por su apasionada defensa contra la tala y la presión minera en su territorio originario de 11.5 millones de hectáreas. Muy cerca y al sur de la región Xingú, dieciséis grupos étnicos originarios también tuvieron éxito en la protección de otras tres millones de hectáreas de su territorio. Más recientemente, los indígenas Trio y los pueblos originarios Wayana declararon como territorio indígena protegido a 7.2 millones de hectáreas denominado Corredor de Conservación de Surinam del Sur, que junto con las tierras indígenas adyacentes en Brasil suman alrededor de 11 millones de hectáreas ahora protegidas. En Camboya, miembros de la Red Comunitaria Prey Lang trabajan para la protección unas 360,000 hectáreas de bosque, que contiene un núcleo de 90,000 hectáreas del último bosque primario del país. Y en Papúa Nueva Guinea, la Alianza Tenkile para la Conservación, una red de cincuenta comunidades, está trabajando para proteger la Sierra de Torricelli que tiene una superficie de 200,000 hectáreas, para designarla oficialmente como área de conservación. De manera similar, gran cantidad de organizaciones comunitarias en la República Democrática del Congo están trabajando en favor de la protección del Parque Nacional Virunga en contra de las actividades extractivas.

Los servicios ecológicos y sociales descritos arriba tienen un gran valor desde las perspectiva local y global. Sin embargo, es difícil ver reflejados estos beneficios en términos económicos y solo se puede hacer de manera parcial, pues gran parte del valor del bosque primario no se puede medir en términos monetarios. Más allá de los considerables esfuerzos gubernamentales y de organizaciones multilaterales y no gubernamentales, así como algunas empresas para valorar el "capital natural" de los bosques primarios y de otros ecosistemas, la integración del valor en las cuentas públicas y en los presupuestos sigue sin concretarse, de tal suerte que el cambio en las políticas ha sido lento en lo relativo a los bosques y en particular con respecto a los bosques primarios.

Se han tenido ciertos avances en lo relativo al aprovechamiento de los beneficios que brindan los bosques primarios, por ejemplo

en algunas áreas urbanas que dependen del bosque para el abasto de agua. Cerca de un tercio de las ciudades más grandes del mundo (incluyendo Nueva York y Río de Janeiro) reciben una gran parte de su agua potable de áreas forestales protegidas, y la fuente de agua de muchas ciudades, como en el caso de Melbourne, proviene de un bosque primario escrupulosamente protegido. A nivel internacional las Naciones Unidas en 2012 desarrollaron estándares de contabilidad del medio natural (Sistema de Contabilidad Económica y Ambiental) y el Banco Mundial ha trabajado con un gran número de gobiernos para la aplicación de estos estándares a nivel nacional, en particular para evaluar la contabilidad del capital natural a escala regional. Por ejemplo, el proyecto EVA (Conservation International's Ecosystems Values, Assessment and Account) permite incorporar los servicios de ecosistema a las estadísticas económicas oficiales e integrarlos con otros indicadores socioeconómicos relevantes, para así mejorar la planeación y la toma de decisiones. El proyecto EVA se está implementando en San Martín, Perú, una región caracterizada por su alta biodiversidad en donde se están aplicando políticas gubernamentales innovadoras y progresistas para abordar las amenazas a los ecosistemas, el desarrollo y los medios de subsistencia. Esta información será de utilidad para convencer a los tomadores de decisiones sobre la conveniencia de proteger los bosques primarios en tanto que éstos incrementan su valor si permanecen intactos.

Parece ser que en los países desarrollados existe una disposición cada vez mayor a pagar por la conservación de los bosques, como demuestran los pagos de miles de millones de dólares por parte de Alemania y Noruega a los países del trópico por haber alcanzado las metas de conservación. Es muy probable que este tipo de esquemas se incremente como resultado del cambio climático y la disposición de agua dulce sea más impredecible. Esto es sin duda una parte prometedora de la mezcla de soluciones que está emergiendo y que sigue siendo un reto para asegurar que se implementen soluciones equitativas y con el debido respeto a los derechos humanos. Los bosques tienen una gran cantidad de potenciales valores económicos que pudiesen materializarse en años venideros, pues contienen a los

TROPICAL FOREST | BOSQUE TROPICAL
Xingu River, Pará | Río Xingú, Pará
Brazil | Brasil
CRISTINA MITTERMEIER

in return for meeting forest conservation targets. As climate change worsens and freshwater supplies become more unpredictable, interest in such payment schemes may well increase. They are a promising part of an emerging mix of solutions, though an important challenge is to ensure that they are implemented equitably and with due respect for human rights. Forests also have a range of other potential economic values that may materialize in the coming years: they protect the wild relatives of many of the most widely planted crops around the world, and they also hold great potential for future crops and pharmaceutical products. Despite these many natural values, and despite new accounting methodologies, the socioeconomic value of primary forests is clearly not sufficiently integrated into today's political decision making about land use and natural resource management.

An alternative approach to incorporating primary forest conservation into legal frameworks has been to justify primary forest protection on ethical grounds, rather than in terms of the economic values they provide to people. One example of this approach is the growing movement that supports legal recognition of the rights of nature, and specifically the rights of ecosystems, such as free-flowing rivers or primary forests, to maintain their ecological integrity. Following Christopher Stone's seminal 1972 article "Should Trees Have Standing," the rights-of-nature movement has gained momentum, perhaps reaching its highest point to date in the current Ecuadorian constitution, ratified in 2008, which recognizes the right of nature to exist and regenerate, and also in the Bolivian Law of Mother Earth (Pachamama), passed by the Bolivian Parliament in 2011, which also recognizes the rights of nature. The Convention on Biological Diversity, which has been ratified by 196 countries, also upholds the nonuse values of forests.

Despite their global importance, efforts to prioritize primary forests in political decision making have not met with sufficient success. As a result, Earth's primary forests are in crisis. Not only have we cleared over one-third of the planet's original forest cover, but of our remaining forests, only another third qualifies as "primary," and we continue to lose millions of hectares of primary forest each year. Only about one-fifth of our remaining primary forests are protected, just 5 percent of their original extent. By comparison, about one-third of the planet's forests are used mainly for the production of wood and non-wood products.

The threats to forests in each of the world's major forest biomes—

ancestros silvestres de muchas de las plantas cultivadas en todo el mundo, además de que contienen gran potencial para la creación de nuevos productos farmacéuticos y nuevos cultivos. A pesar de estos nuevos valores naturales y metodologías contables, es evidente que el valor socioeconómico de los bosques primarios no ha sido cabalmente integrado a los actuales procesos de toma de decisiones en torno al uso del suelo y el manejo de los recursos naturales.

La incorporación de la conservación de los bosques primarios al marco legal ha sido mediante argumentaciones éticas, más que en razón del valor económico. Un ejemplo de este abordaje es la tendencia creciente a respaldar el reconocimiento legal de los derechos de la naturaleza y específicamente los derechos de los ecosistemas, tales como el libre curso de las aguas y el derecho de los bosques primarios a conservar su integridad ecológica. El movimiento por los derechos de la naturaleza adquirió impulso con el artículo seminal de Christopher Stone en 1972 "¿Es que los árboles tienen derechos?", llegando a su punto más alto en la constitución ecuatoriana, ratificada en 2008, en donde se reconocen los derechos de la naturaleza a la existencia y a la regeneración; lo mismo ocurre con la Ley boliviana de la Madre Tierra (Pachamama) que fue aprobada por el Parlamento boliviano en 2011 y que también reconoce los derechos de la naturaleza. La Convención sobre la Diversidad Biológica, ratificada por 196 países, también apuntala los valores de no-uso de los bosques.

A pesar de su importancia a nivel global, los esfuerzos por priorizar los bosques primarios en la agenda de los tomadores de decisiones no han tenido suficiente éxito. El resultado es la crisis mundial de los bosques primarios. No sólo hemos talado un tercio de la cubierta forestal original del planeta, sino que sólo la mitad del restante se puede considerar ahora como "primario" y continuamos perdiendo millones de hectáreas cada año. Además, sólo una quinta parte del bosque primario remanente está protegido, es decir, sólo el 5 por ciento del bosque original. En contraste, alrededor de un tercio de todos los bosques del mundo se están utilizando principalmente para la producción de madera y otros productos no maderables.

Las amenazas a los bosques en cada uno de los biomas del mundo —tropical, templado y boreal—se detallan en el capítulo 4 de esta obra, aunque de manera general podemos adelantar que durante la última década la actividad industrial se ha convertido en el principal peligro para los bosques primarios. La agricultura industrial, la minería y la extracción de gas, así como la tala y el desarrollo de infraestructura

tropical, temperate, and boreal—are detailed in chapter four, but broadly speaking, over the past decade industrial activity has become the principal threat. Industrial agriculture, mining, oil and gas extraction, industrial logging, and infrastructure development, from roads to hydroelectric projects, are proliferating and devastating primary forests around the world in all forest biomes. Industrial agriculture, and in particular "forest risk commodities" including palm oil, soy, sugar cane, cocoa, cattle, and raw materials for bioenergy are expanding rapidly and are responsible for the majority of global deforestation over the past several decades. Industrial logging and road building are the principal initial causes of primary forest degradation, often followed by additional threats caused by increased accessibility. Indeed, in many places, logging as a first step often provides the infrastructure and financing for subsequent industrial agriculture, or opens doors to other extractive activities, such as mining.

Beyond the direct degradation and deforestation resulting from road building, significant indirect ecological impacts are associated with the spread of roads through intact primary forest landscapes. For example, in Amazonia, 95 percent of tropical deforestation occurs within 5 kilometers of a road or a river, because roads generate new developments, facilitate illegal logging, mining, or other activities, and encourage colonization of remote areas. Road building in temperate regions has impacted nearly every forest ecosystem, and even boreal forests of the far north are not immune to road building for logging, mining, and energy development. The herringbone pattern of colonization and deforestation immediately following road building is prevalent around the world, with perhaps the best example being the construction of the Transamazonian Highway beginning in the early 1970s, which resulted in vast devastation and the annihilation of many previously uncontacted indigenous tribes. Roads also facilitate hunting, not the least to supply demand from logging and mining operations. Indeed, many logging and mining companies that claim their activities are "sustainable" never take hunting into consideration. In some regions, most notably Central Africa, hunting associated with logging roads has been so extensive that most large mammals have been removed from the forest. The term "empty forest syndrome" has been coined to describe this phenomenon.

One factor that has helped compound the threats described above is the unsustainability of industrial logging in primary forests. The hope over the past several decades was that carefully defined best practices

como caminos y desarrollos hidroeléctricos están proliferando y devastando el bosque primario en todos los biomas del mundo. La agricultura industrial y en particular los "productos forestales básicos" como el aceite de palma, la soya, el azúcar de caña, el cacao, la ganadería y las materias primas para la generación de bioenergía, están creciendo con rapidez y han sido la principal causa de la deforestación durante las últimas décadas. La industria maderera y la construcción de caminos son la principal causa de la degradación del bosque primario, que a menudo son seguidas por peligros concomitantes causados por la mayor accesibilidad al bosque. Por ello, en muchos lugares la tala constituye la avanzada de la construcción de infraestructura, así como el financiamiento de la agricultura industrial o de otras actividades extractivas como la minería.

Más allá de la degradación directa y la deforestación que resulta de la construcción de carreteras, otros impactos ecológicos indirectos se asocian con la propagación de las vías de comunicación a través del paisaje de los bosques primarios. Así, el 95 por ciento de la deforestación de la Amazonía tiene lugar en una franja de 5 kilómetros adyacente a los caminos o ríos pues éstos son generadores netos de nuevos desarrollos que facilitan la tala ilegal, la minería y otras actividades extractivas, además de estimular los asentamientos humanos en las áreas más remotas. Los caminos en las regiones templadas han impactado prácticamente a todos los ecosistemas forestales, incluso los bosques boreales del extremo norte no han sido inmunes a la construcción de caminos para la tala, la minería y los desarrollos energéticos. El patrón en forma de espiga de los asentamientos y la deforestación que precede a la construcción de los caminos es prevalente en todo el mundo, siendo quizás la autopista transamazónica el mejor ejemplo de ello. Su construcción iniciada a principios de la década de 1970, dio como resultado, además de la una enorme devastación, el aniquilamiento de muchos Pueblos Indígenas anteriormente incomunicados. Además, los caminos estimularon la cacería como parte del abasto a las operaciones mineras y de tala. Claro está que, aunque muchas compañías mineras y madereras reclaman que sus actividades son sustentables, nunca consideraron en su análisis a la cacería concomitante. En algunas regiones, en particular en África Central, la cacería asociada a los caminos para la tala ha sido tan intensa que muchos de los grandes mamíferos ya han sido completamente eliminados de los bosques. El término del "síndrome de bosque vacío" fue acuñado para describir este fenómeno.

might reduce the impacts of industrial logging and make the industry sustainable, while certification schemes would benefit companies applying these best practices by creating consumer demand for their "greener" timber products. Sustainable industrial logging would therefore provide an economic incentive to keep forests standing while maintaining primary forest values.

However, even when implementing best practices, industrial logging usually causes extensive damage: it results in high carbon emissions that can take decades to centuries to recover from (assuming the forest is allowed to recover), and it significantly reduces biodiversity and ecosystem resilience, degrades water quality, and increases the risk of fire. In many countries governance in the forest sector remains weak, and the indirect impacts of industrial logging can be much more severe than the logging itself. For example, legal logging operations often facilitate illegal logging, and logging roads built into remote areas often facilitate overhunting and colonization. Particularly in the tropics, roads literally pave the way for conversion of forests to industrial agriculture, such as oil palm or soy plantations or cattle ranching, once valuable timber has been removed. In addition, certification of logging activities in the tropics almost never takes into account the impacts of hunting, which can be devastating, even in areas where large tracts of forest are left standing. Finally, uptake of certification in the tropics has been weak because best practices are expensive and certified wood products do not sell at a significant premium. The process of certification is itself problematic, with numerous examples of highly damaging logging operations that have not followed best practices receiving a stamp of approval from some of the most respected certifiers.

Recent research has also demonstrated that industrial logging in primary tropical forests is not only currently unsustainable, but that achieving sustainability is likely not possible. Primary tropical forests are so sensitive to disturbance, and tropical timber species grow so slowly, sometimes over hundreds of years, that logged species do not regenerate unless logging occurs at such low intensities and over such long intervals (at least sixty years), that logging no longer makes economic sense. While logging with best practices is, of course, preferable to conventional logging, industrial logging simply has not proven to be a viable conservation strategy for primary tropical forests. The same can be said of primary forests in temperate and boreal regions, which have been or are rapidly being eliminated around the world.

Uno de los factores que han agravado las amenazas arriba descritas es la insostenibilidad de la industria maderera en los bosques primarios. Durante las pasadas décadas se tuvo la esperanza de que la aplicación de las denominadas "mejores prácticas" hubiera podido reducir el impacto de la industria maderera haciéndola sustentable, tomando en consideración que las empresas que adoptaran estos sistemas de certificación se verían beneficiadas por una mayor demanda de sus productos "más verdes", creando con ello un incentivo económico para que la industria maderera sustentable conservara los bosques y mantuviera el valor de los bosques primarios.

A pesar de ello e incluso implementando las mejores prácticas, la industria maderera usualmente causa daños considerables por la elevada emisión de carbono que puede tomar décadas o siglos en recobrarse (asumiendo que el bosque mismo se pueda recobrar); reduciendo además de manera significativa la biodiversidad y la resiliencia de los ecosistemas; degradando la calidad del agua e incrementando los riesgos de incendios forestales. En muchos países la gobernabilidad en los bosques sigue siendo endeble y el impacto indirecto de la industria maderera puede ser mucho más severo que la misma tala ilegal. Ejemplo de esto es que a menudo las operaciones madereras legales y los caminos en las áreas remotas alientan la tala y estimulan los asentamientos humanos.

Investigaciones recientes han demostrado que actualmente la industria maderera en los bosques tropicales primarios no sólo es insostenible, sino que resulta poco probable poderla llevar a cabo de manera sustentable. Los bosques tropicales primarios son tan sensibles a las perturbaciones y las especies maderables tropicales crecen tan lentamente—a veces hasta siglos—, que la regeneración solo se consigue con una tala tan baja y en intervalos tan largos (por lo menos sesenta años) que la actividad deja de tener sentido económico. Si bien la tala utilizando las mejores prácticas es preferible a la tala convencional, la industria maderera sencillamente no ha probado ser una estrategia de conservación viable para los bosques primarios de los trópicos. Lo mismo puede decirse para los bosques primarios templados y boreales, que rápidamente están siendo eliminados en todo el mundo.

Además y en acuerdo con los hallazgos del Grupo de Evaluación Independiente del Banco Mundial, la tala industrial del bosque tropical primario ha contribuido con muy pocos beneficios económicos a las economías locales, concentrando éstos en unos cuantos individuos

In addition, and as underscored by the findings of World Bank's Independent Evaluations Group, industrial logging in primary tropical forests seems to have provided few local economic benefits, with most of the profits accruing to small numbers of people, despite the industry's heavy subsidization. We also know that a much larger proportion of global timber demand can be met through agroforestry, plantations on previously cleared lands or on degraded lands (at all times with the free prior and informed consent of communities including traditional land custodians), by using alternative fibers, and by reducing wasteful consumption. Industrial logging of primary forests in developing countries often targets niche luxury markets for products that are largely status symbols, or markets for products that could be substituted from plantations, such as decking or plywood.

Logging for woody biomass energy production or converting natural forests to quick growing "feedstock" plantations for bioenergy also results in significant emissions that can rival or exceed those of burning coal. It is therefore not necessary to sacrifice primary forests for woody biomass production. There is also a growing body of evidence that it is not necessary to clear or degrade primary forests for food production, and that increases in efficiency, decreases in food waste, and use of already degraded lands is sufficient to meet food demands.

We are therefore at a crossroads with the world's primary forests. We have better information than ever on their many essential and irreplaceable values, many of which we are only starting to fully grasp. We have much greater clarity on the range of threats, from bioenergy to industrial logging to road building, that lead to forest loss and degradation. And we have a newly favorable global policy environment focused on primary forests as global carbon sinks. The strong policy consensus emerging from the UNFCCC's Paris agreement on the need to aim toward limiting global warming to 1.5 degrees Celsius and the importance of forests and ecosystem integrity in meeting this target provides excellent momentum for primary forest conservation. Focused international attention on the need to achieve the Sustainable Development Goals should provide additional incentive given that forests are specifically mentioned. Nonetheless, primary forest loss continues at alarming rates and we urgently need to do a better job of investing in their protection while we still can.

Fortunately, we have a good understanding of how to keep primary forests intact. Properly managed and well-funded government-protected areas, Indigenous Peoples' and community-conserved

a pesar de los fuertes subsidios para esta industria. También ahora se sabe que gran parte de la demanda mundial de madera se puede atender mediante la agro-silvicultura desarrollando plantaciones en las tierras ya degradadas o taladas (siempre y cuando sea con el previo consentimiento de las comunidades custodias tradicionales). Otras alternativas son el uso de fibras alternativas y la disminución del consumo irresponsable. En los países en desarrollo, la tala industrial de los bosques primarios tiene su nicho de mercado en la producción de bienes suntuarios o de mercados cuyos insumos pueden ser sustituidos por los provenientes de las plantaciones, como lo son la producción de madera contrachapada y madera para patios y terrazas.

La tala para la producción de leña o el clareo de bosques para la producción de forraje o combustibles de crecimiento rápido también ha traído como resultado una generación importante de emisiones que pueden rivalizar o superar a la del uso de carbón. Es por ello que no se justifica el sacrificio de los bosques primarios para la producción de biomasa para combustibles. También existe creciente evidencia respecto a que no es necesario eliminar o degradar los bosques primarios para la producción de alimento, ya que el incremento de la eficiencia agrícola y el decremento del desperdicio, aunado al aprovechamiento de las tierras de bosques degradados resultan suficientes para satisfacer la demanda de alimentos.

Estamos pues ante una disyuntiva con los bosques primarios del mundo. Ahora tenemos mejor información que nunca sobre sus esenciales e irreemplazables valores, muchos de los cuales apenas empezamos a comprender. Tenemos también una claridad mayor sobre la diversidad de las amenazas que enfrentan, desde la tala industrial y para bioenergéticos, hasta la construcción de caminos, que han conducido a la pérdida y degradación de los bosques. Contamos además con nuevas y más favorables políticas ambientales que centran su atención en los bosques primarios como sumideros de carbono. El vigoroso consenso sobre políticas surgido de los acuerdos de la Convención Marco de las Naciones Unidas sobre el Cambio Climático (CMNUCC) en París para limitar el calentamiento global a 1.5 grados Celsius, y sobre la importancia de la integridad de los bosques y de los ecosistemas para lograrlo, constituyen un excelente impulso para la conservación de los bosques primarios. Otro incentivo proviene de la atención internacional que se ha puesto en las Metas para el Desarrollo Sustentable, pues se hace referencia específica a los bosques. A pesar de todo lo anterior, la pérdida de bosques primarios

continúa a un ritmo alarmante y necesitamos mejorar nuestro trabajo invirtiendo en su protección mientras podamos.

Afortunadamente hoy contamos con una mejor comprensión de cómo conservar intactos nuestros bosques primarios. Las áreas protegidas bien financiadas y manejadas apropiadamente, la conservación de los territorios de los pueblos originarios y de las comunidades, y los mecanismos de conservación como el pago por los servicios de los ecosistemas, tiene la capacidad de preservar los bosques primarios y sus valores cuando se implementan medidas con un enfoque basado en los derechos. Estas perspectivas aseguran la conservación de la biodiversidad, la continuidad de los servicios ecológicos y el respeto por las antiguas relaciones socioculturales con el bosque primario, pues existe un traslape importante de las tierras que son propiedad de las comunidades y los Pueblos Indígenas con los bosques primarios ricos en biodiversidad, que son grandes almacenes de carbono y proveedores de muchos servicios ecológicos esenciales.

El reto por tanto, es encontrar los mecanismos para dar prioridad a la conservación de los bosques primarios en el contexto de la política doméstica e internacional, echar por tierra el mito del manejo industrial sustentable del bosque, y canalizar más fondos a los esfuerzos para la conservación de los bosques primarios. Este punto se discute más a fondo en la sección de conclusiones de este libro. Sin embargo, es posible hacer notar algunos puntos aquí.

En primera instancia, el ímpetu por la conservación del bosque está creciendo en gran medida por la atención global sobre la inminencia del cambio climático y el mayor reconocimiento sobre el papel que los bosques tropicales juegan en el combate de esta crisis. Los últimos diez años han sido los más calientes registrados y los hielos de Groenlandia se derriten ante nuestros ojos; La Antártida ya ha empezado a derretirse y el permafrost de la tundra está en las mismas circunstancias, emitiendo metano mientras se derrite. Las sequías y la desertificación se han convertido en un serio problema alrededor del mundo—desde el Medio Oriente, África y el Oeste de los Estados Unidos—empeorando la actual crisis de biodiversidad. Estamos de frente a la sexta gran crisis de extinción en la Tierra,

TROPICAL FOREST | BOSQUE TROPICAL
Illegal gold mining | Extracción ilegal de oro
Guyana
PETE OXFORD

territories, private protected areas, and other conservation mechanisms, such as payments for ecosystem services, have the capacity to maintain primary forests and their values when implemented in keeping with rights-based approaches. These approaches ensure maintenance of biodiversity, continuity of ecosystem services, and respect for long-standing social and cultural relationships with primary forests, particularly as there is frequently significant overlap between indigenous or community-owned lands and primary forests that are rich in biodiversity, carbon stores, and other critical ecosystem services.

The challenge, therefore, is to find ways to prioritize the conservation of primary forests in domestic and international policy, to debunk the myth of sustainable forest management through industrial activity, and to channel more funds to primary forest conservation efforts. This question is addressed in more detail in this book's conclusion. However, a few points are worth noting here.

First, the impetus for forest conservation is growing, in large part because of the increased global focus on worsening climate change and increased recognition that tropical forests play a major role in combating the crisis. The last ten years have been the warmest on record, the Greenland ice sheet is melting before our eyes, Antarctica is starting to melt, and the permafrost of the tundra is heading in the same direction, emitting methane as it goes. Droughts and desertification are a serious problem around the world—from the Middle East to Africa to the Western United States—and result from the worsening biodiversity situation. We have now entered Earth's sixth great extinction crisis, the first to be caused by human beings; current extinction rates are at least one thousand times higher than background extinction rates in the geological record, and numerous species are threatened. For example, the International Union for Conservation of Nature's (IUCN's) Red List indicates that 41 percent of amphibians, 26 percent of mammals, 34 percent of conifers, and 33 percent of corals are threatened. Certain groups of mammals, notably the primates, 90 percent of which are found in tropical forests, have more than two-thirds of their species in the threatened categories. In addition, forests are being cleared, fragmented, or degraded all over the planet, with the result that 70 percent of the Earth's forests are now within 1 kilometer of a forest edge. A better understanding of the crucial role of primary forests in addressing these related crises should lead to stronger support for their protection.

la primera causada por los seres humanos. Las actuales tasas de extinción son al menos mil veces más altas que las observadas en el registro geológico y numerosas especies están en peligro. Ejemplo de ello es la Lista Roja de la Unión para la Conservación de la Naturaleza (UICN), que señala que 41 especies de anfibios, 26 por ciento de los mamíferos, 34 por ciento de las coníferas y el 33 por ciento de los corales están en peligro de extinción. Algunos grupos de mamíferos, principalmente los primates, 90 por ciento de los cuales se localizan en los bosques tropicales, tienen más de dos terceras partes de sus especies clasificadas en peligro. Aunado a lo anterior, los bosques en todo el planeta están siendo desmontados, fragmentados o degradados. La mejor comprensión del papel crucial que tienen los bosques primarios para enfrentar las crisis nos debe llevar a un mejor y más fuerte apoyo a su protección.

En segundo lugar, lograr financiamiento para la conservación del bosque primario no es una tarea imposible. Grandes áreas de bosque primario son propiedad estatal y están siendo destinadas a la producción forestal. Aunado a esto, en muchos lugares como Sudamérica y África, el costo por hectárea para la protección de las tierras no es alto si lo comparamos con la inversión que se requiere para satisfacer otras demandas sociales. La reducción o eliminación de subsidios nocivos a las actividades que destruyen o degradan los bosques primarios, como son los subsidios a la extracción de combustibles fósiles, como fue propuesto en un análisis reciente del Fondo Monetario Internacional. Esta política podría liberar billones, o incluso decenas de billones de dólares para implementar rápidamente políticas de financiamiento más flexibles para destinar mayores fondos a las áreas protegidas, a los Pueblos Indígenas y a las comunidades, así como al mejoramiento de la aplicabilidad de la ley para prevenir la tala ilegal, la minería y otras actividades que deterioran los bosques. En última instancia, la protección de los bosques es, con mucho, la mejor manera en términos de costos-beneficios para abordar muchos de nuestros problemas globales como el cambio climático o la disponibilidad de agua dulce—puesto así de una manera "realmente sencilla", citando al pasado Primer Ministro de Noruega y actual Secretario General de la OTAN, Jens Stoltenberg.

Proteger los bosques primarios no es un reto imposible. Hoy más que nunca contamos con un entendimiento mayor de su dimensión, su importancia y de su estado de protección. La suma de recursos monetarios requeridos para implementar los cambios es pequeña

Second, funding the conservation of primary forests is not an impossible task. Large areas of primary forests are government-owned and designated as production forests. In addition, the cost per hectare of protecting land in many places, including in South America and Africa, is not high compared to investments to meet many other societal demands. Reducing or eliminating harmful subsidies for activities that destroy or degrade primary forests, including fossil fuel energy subsidies, as proposed in a recent International Monetary Fund analysis, could free up tens or even hundreds of billions of dollars. This policy could rapidly provide much greater financial flexibility to support increased funding for protected areas, Indigenous Peoples, and communities, as well as better enforcement to prevent illegal logging, mining, and other activities encroaching on forests. In the final analysis, protection of forests is by far the most cost-effective way of addressing many of our global problems, from climate change to freshwater availability—a real "no-brainer" to quote former Norwegian prime minister and current NATO Secretary General Jens Stoltenberg.

The challenge of protecting primary forests is not insurmountable. We have a much clearer understanding of their extent, their importance, and their protection than ever before, and the sums of money required to implement change are small relative to the enormous rewards. The problem is therefore not lack of information or insufficient capacity; it is largely one of political will. In the pages that follow, we review the essential biodiversity and ecosystem service benefits primary forests provide, we summarize the crucial sociocultural importance of primary forests to Indigenous Peoples and forest-dwelling communities, and we provide an overview of the threats to forests in each of the three major forest biomes: tropical, temperate, and boreal. We conclude with some thoughts as to how primary forests might be better protected in the future. And, of course, we illustrate the wonder and beauty of primary forests with a series of spectacular photos by some of the world's most gifted nature and wildlife photographers.

CYRIL F. KORMOS, RUSSELL A. MITTERMEIER, TILMAN JAEGER, BRENDAN MACKEY, BERNARD MERCER, BARBARA L. ZIMMERMAN, WILLIAM F. LAURANCE, VIRGINIA YOUNG, NOËLLE F. KÜMPEL, DOMINICK DELLASALA, PATRICK ALLEY, SEAN FOLEY, CHARLES VICTOR BARBER, SIMON JACKSON, WILL R. TURNER, JIM THOMAS, JONATHAN E. M. BAILLIE, WES SECHREST, and DON CHURCH

comparada las enormes recompensas. Por tanto, el problema no es la falta de información o la falta de capacidad; es en gran medida un problema de voluntad política. En las páginas que siguen revisaremos el papel esencial de los servicios ecológicos y la biodiversidad que nos proporcionan los bosques primarios. De manera sucinta se planteará la importancia sociocultural de los bosques para los Pueblos Indígenas y para las comunidades que habitan en ellos. Revisaremos también las amenazas a las que están sujetos cada uno de los tres biomas: el tropical, el templado y el boreal. Concluiremos con algunas ideas sobre las maneras en que los bosques primarios deben ser protegidos en el futuro, y por supuesto, ilustraremos las maravillas y la belleza de los bosques primarios mediante una serie espectacular de fotografías realizadas por algunos de los más talentosos fotógrafos de naturaleza.

CYRIL F. KORMOS, RUSSELL A. MITTERMEIER, TILMAN JAEGER, BRENDAN MACKEY, BERNARD MERCER, BARBARA L. ZIMMERMAN, WILLIAM F. LAURANCE, VIRGINIA YOUNG, NOËLLE F. KÜMPEL, DOMINICK DELLASALA, PATRICK ALLEY, SEAN FOLEY, CHARLES VICTOR BARBER, SIMON JACKSON, WILL R. TURNER, JIM THOMAS, JONATHAN E. M. BAILLIE, WES SECHREST y DON CHURCH

2 Primary Forests, Biodiversity, and Ecosystem Services
Bosques Primarios, Biodiversidad y Servicios Ecológicos

AROUND THE TIME of the landmark United Nations Framework Convention on Climate Change in Paris in December 2015, when forests were confirmed as a key part of the solution to tackling climate change, two environmental disasters were in the headlines in the United Kingdom. The first was a series of "once-in-a-lifetime" floods inundating a number of major British cities, and the second was the fires raging across Indonesia, destroying fragile rain forests, wildlife, and local livelihoods and releasing billions of tons of carbon into the atmosphere. What did these two events have in common, in addition to causing misery and major economic loss? While a number of factors were involved, forest loss played a major part in both the cause and scale of the impact. Such "unprecedented" climate-related events are likely to occur with increasing frequency unless there is a much better recognition of the critical role that forests, in particular primary forests, play in providing a wide range of important ecosystem services, in addition to conserving much of the world's terrestrial biodiversity.

PRIMARY FORESTS

It may be hard to imagine, but most of Western Europe, including the British Isles, alongside places like the coasts of North Africa and the Middle East, was once covered in primary forests. Today, most primary

TROPICAL FOREST | BOSQUE TROPICAL
Cyclommatus eximius | Stag beetle | Escarabajo ciervo
New Britain | Nueva Bretaña
Papua New Guinea | Papúa Nueva Guinea
PIOTR NASKRECKI

EL MISMO AÑO en que tenía lugar la memorable Convención Marco de las Naciones Unidas sobre el Cambio Climático en París, en donde se confirmaba que los bosques eran una pieza clave en la solución para enfrentar los desafíos del cambio climático, dos desastres ambientales eran noticia en el Reino Unido. El primero, las inundaciones sin precendente de varias importantes ciudades británicas y el segundo, los incendios que arrasaron los frágiles bosques tropicales lluviosos de Indonesia, su vida silvestre y los medios de subsistencia de los pobladores locales, liberando miles de millones de toneladas de dióxido de carbono a la atmósfera. ¿Qué tienen en común estos dos eventos, además de provocar pérdidas económicas y miseria? Aunque sea una combinación de factores los que estén involucrados, la pérdida de bosques es tanto la causa como la consecuencia. Es muy probable que estos eventos climáticos sin precedente se presenten con mayor frecuencia a menos de que logremos un mayor reconocimiento del papel fundamental que juegan los bosques, en particular los bosques primarios en el aprovisionamiento de importantes servicios ecológicos, y como sitio de conservación para la biodiversidad terrestre del mundo.

LOS BOSQUES PRIMARIOS

Aunque sea difícil de imaginar, los bosques primarios alguna vez cubrieron toda Europa Occidental (incluyendo las islas británicas), además de las costas del norte de África y el Oriente Medio. Hoy en día, la mayoría de los bosques primarios que aún existen se encuentran dentro de "paisajes de bosques intactos" (bloques de bosque de mas de 500 kilómetros cuadrados) que incluyen las grandes extensiones de bosques boreales de Rusia, América del Norte y Escandinavia;

forests are still found within "intact forest landscapes" (primary forests in contiguous blocks greater than 500 square kilometers), which include vast tracts of boreal forests in Russia, North America, and Scandinavia; coastal temperate rain forests in Alaska, British Columbia, Chile, and Australia; and tropical forests in South and Central America, Asia, Africa, and Madagascar. Perhaps 10 to 20 percent of primary forests are found in blocks smaller than this, often the last vestiges of these unique habitats.

Primary forests are natural forests of native species undisturbed by industrial-scale land use and where ecological processes are not significantly disrupted. It is this maintenance of ecological and evolutionary processes that underpins the delivery by primary forests of an unparalleled set of values and benefits, both to humanity and the rest of life on Earth.

BIODIVERSITY

Primary forests, particularly tropical rain forests, are the most biodiverse terrestrial ecosystems on the planet, estimated to harbor up to 80 percent of terrestrial species. This estimate will remain so, as tropical forests, in particular, contain a huge number of unknown species that could go extinct before they are ever scientifically described. Over 400 tree species have been recorded in a single hectare of tropical rain forest, 1,500 butterfly species in Panama's rain forests, and more than 3,000 species of fish in the Amazon River. Because of their role in maintaining hydrological cycles and quality, primary forests are particularly important for freshwater biodiversity.

Several factors contribute to the amazing diversity of tropical rain forests. An abundance of regular rain and sunshine provides ideal growing conditions for trees, resulting in a complex, three-dimensional forest structure providing numerous ecological niches over different strata. This, coupled with relatively stable local climatic conditions (alongside wider-scale variations) over thousands of years, has led to the evolution of both cooperative and antagonistic relationships between species, many dependent on just one other species for their survival. The tallest trees—or emergents, sometimes thousands of years old—stick up out of the canopy at up to 80 meters high and provide food and shelter for numerous other plant and animal species. Because of constant humidity and the thick forest canopy, there is little wind available to pollinate flowers or spread seeds, as in higher-latitude forests, so trees have developed intimate relationships with and

los bosques templados lluviosos de las costas de Alaska, Columbia Británica, Chile y Australia, así como los bosques tropicales de América Central y Sudamérica, de Asia, África y de Madagascar. Es posible que entre el 10 y el 20 por ciento del bosque primario se encuentre en áreas menores, siendo a menudo éstas, los últimos vestigios de estos singulares hábitats.

Los bosques primarios están formados por especies nativas que no han sido perturbadas por los usos del suelo industriales a gran escala y en donde los procesos ecológicos no han sido alterados de manera importante. La preservación de los procesos evolutivos y ecológicos constituye la esencia de los inigualables beneficios y valores que los bosques primarios nos brindan, tanto a la Humanidad como al resto de los seres vivientes sobre la Tierra.

LA BIODIVERSIDAD

Entre los bosques primarios, los bosques tropicales lluviosos son los de mayor biodiversidad en el planeta, con un 80 por ciento estimado de las especies terrestres. Y esta estimación se mantendrá ya que los bosques tropicales contienen una enorme cantidad de especies desconocidas que pudieran incluso extinguirse antes de que la ciencia las haya clasificado. En una sola hectárea de bosque tropical se han llegado a registrar hasta 400 especies de árboles, más de 1,500 especies de mariposas en la selva húmeda de Panamá y más de 3,000 especies de peces en el Río Amazonas. Los bosques primarios son particularmente importantes por el papel que tienen en la conservación del ciclo hidrológico, de la calidad del agua y por su particular importancia para la diversidad biológica de especies de agua dulce.

Son diversos los factores que contribuyen a la fabulosa diversidad de los bosques tropicales húmedos. La regular abundancia tanto de lluvia como de sol proveen las condiciones de crecimiento ideales para los árboles, lo que tiene como resultado una compleja estructura tridimensional del bosque que proporciona abundantes nichos ecológicos entre los diferentes estratos. Esto, aunado a condiciones climáticas locales relativamente estables (en el contexto de variaciones a mayor escala) durante miles de años, ha conducido a la evolución tanto de relaciones de cooperación como de antagonismo, lo que hace que muchas especies dependan sólo de otra especie para su supervivencia. Los árboles más altos (los árboles dominantes, a veces milenarios) remontan la bóveda arbórea por arriba de 80 metros de altura y proporcionan alimento y refugio a numerosas especies de

incentives for animals such as bees, butterflies, birds, bats, monkeys, apes, pigs, duikers, elephants, and even tortoises to perform these functions instead. Around 80 percent of pollination and up to 85 percent of woody rain forest species dispersal is carried out by such vectors.

However, although tropical rain forests may be highly biodiverse, visitors should not expect the classic safari experience. There are fewer large animals (large mammal biomass may be only one-tenth that of grasslands), most species live high up in the trees, and those animals that do inhabit the forest floor tend to stay well hidden. But one can hear and smell life all around, from the constant hum of cicadas to the slow helicopter wingbeats of a passing hornbill. The eye is in the detail.

Biodiversity generally declines with increasing land-use intensity and associated vegetation changes, from primary forest to secondary forest to agroforestry and plantations. Increasing levels of disturbance lead to biotic homogenization as disturbance-sensitive species are lost and replaced by generalist species with high dispersal abilities. Similarly, young forests are mainly occupied by widespread species that can occur in a range of vegetation types.

As this suggests, it is not only quantity but quality that counts, as the simple species count (species richness) doesn't distinguish between rare and common species, or such generalist or even invasive species and primary forest-dependent specialists that are found nowhere else on Earth. Numerous species are restricted to primary forests, including the largest flower (Indonesia's *Rafflesia arnoldii,* measuring up to 100 centimeters across and weighing up to 10 kilograms) and the smallest vertebrate (the frog, *Paedophryne amanuensis,* of Papua New Guinea, just 7 millimeters long). A recent study found that almost 60 percent of tree and vine genera and 40 percent of birds in the Brazilian Amazon were only ever recorded in primary forests. North American primary forests are home to a wide range of lichens, fungi, insects, bats, spiders, and other organisms that are only found in these structurally complex mature forests. Such obligate forest species are intrinsically more vulnerable to extinction from deforestation and forest degradation and are often a high priority for conservation.

FOLLOWING PAGES/PÁGINAS SIGUIENTES
TEMPERATE FOREST | BOSQUE TEMPLADO
Olympic National Park, Washington | Parque Nacional Olympic, Washington
United States of America | Estados Unidos de América
GERRIT VYN

plantas y animales de otras especies. Debido a la humedad constante y a la gruesa capa del dosel forestal, el viento es insuficiente para polinizar las flores y dispersar las semillas, como sucede con los bosques de las latitudes altas. Por esto, los árboles han desarrollado relaciones especiales con las abejas, mariposas, aves, murciélagos, monos, primates, cerdos, antílopes, elefantes, e incluso con tortugas, para que lleven a cabo estas funciones. Cerca del 80 por ciento de la polinización (y hasta el 85 en las especies leñosas de la selva húmeda) es llevada a cabo por estos vectores.

Sin embargo, a pesar de la biodiversidad del bosque tropical lluvioso, quienes lo visitan no deben esperar una experiencia de safari clásico. Allí existen pocos animales grandes (comparado con los biomas de las praderas, los grandes mamíferos conforman solo una décima parte) y la mayoría de las especies viven en la cima de los árboles y aquellos que habitan en el suelo tienden a ser muy elusivos. Sin embargo, la vida se puede escuchar y oler por todos lados, desde el zumbido constante de las cigarras hasta el sónido que semeja las hélices de un helicóptero del aleteo de un bucero que pasa por el dosel. Todo está en los detalles.

En general, la biodiversidad disminuye con el incremento de la intensidad de uso del suelo y usos asociados con el cambio de vegetación y transicion de bosque primario a bosque secundario, hasta plantación y zona de industria agroforestal. Los niveles de homogenización biótica se incrementan con los niveles de perturbación del bosque pues las especies sensibles rápidamente son reemplazadas por las especies generalistas que tienen mejores sistemas de dispersión. De manera similar, los bosques jóvenes están ocupados principalmente por especies que están presentes en una gran variedad de tipos de vegetación.

Lo anterior sugiere que no sólo la cantidad, sino que también la calidad importa. Un conteo simple de especies (abundancia de especies) no distingue entre las especies raras y las comunes, o entre especies generalistas o incluso las invasivas o especies especializadas dependientes del bosque primario, que quizás no se encuentran en ningún otro sitio de la Tierra. Muchas especies están restringidas al bosque primario, incluyendo a la flor mas grande del planeta (la *Rafflesia arnoldii* de Indonesia que alcanza hasta cien centímetros de ancho y pesa casi 10 kilogramos) y el vertebrado mas pequeño (la rana *Paedophryne amanuensis* de Papúa Nueva Guinea que mide tan solo 7 milímetros). Un estudio reciente encontró que casi 60 por

In addition, while the concept of biodiversity is commonly equated with species diversity, it in fact represents the variety of life at all levels: within species (genetic diversity), between species, and between ecosystems. Diversity at all these scales is important for providing ecosystem function and resilience and for acting as an insurance against future environmental variation, particularly in the face of future climate change.

The okapi (*Okapia johnstoni*), or "forest giraffe," is restricted to the lowland rain forests of central and northeastern Democratic Republic of Congo. Recent research has found that it is not only genetically distinct, separating from its closest relative, the giraffe (*Giraffa camelopardalis*), around sixteen million years ago, but also surprisingly diverse, containing about the same genetic variation as in the entire duiker group. This is likely to be a result of historic changes in climate-caused periods of forest fragmentation and expansion in the Congo Basin and consequent separation and rejoining of okapi populations. This high genetic diversity means the species may be more resilient to future climatic changes—providing it is not first extirpated by the more pressing threats of hunting and forest loss and degradation. Conversely, in Guinea Bissau, recent forest exploitation has led to reduced levels of genetic variation in two sympatric colobus monkeys, the Western black-and-white colobus (*Colobus polykomos*), and Temminck's red colobus (*Piliocolobus badius temminckii*), with habitat changes causing a strong, recent genetic bottleneck for both primates and with the red colobus being more affected. This likely now makes them less adaptable in the face of environmental change, increasing concern for their long-term future under continued hunting and forest loss.

At the other end of the scale, variation within and between forest communities is important for future adaptation. Amazonian rain forests harbor the greatest tree diversity on the planet, with an estimated 16,000 tree species. In spite of this great diversity, a relatively small minority (just over 1 percent) of tree species—those with harder wood and generally larger in size—are extremely common, or "hyperdominant," and contribute disproportionately (50 percent) to carbon storage and cycling. However, this does not mean the rarer species are not important, as it is this diversity in tree species that enables the composition of tropical forests to be dynamic and adaptive in the face of changing climatic and

ciento de los árboles y géneros de lianas, así como 40 por ciento de los pájaros de la Amazonía brasileña se encuentran solamente en los bosques primarios. Los bosques primarios de América del Norte alojan a una gran variedad de líquenes, hongos, insectos, murciélagos, arañas y otros organismos a los que solamente se les puede encontrar en esos bosques estructuralmente complejos y maduros. Estos grupos de especies obligadas al medio boscoso son por naturaleza más vulnerables a la extinción por la deforestación o por la degradación forestal y su conservación es de alta prioridad.

Además, aunque el concepto de biodiversidad normalmente se equipara con la de diversidad de especies, de hecho también denota a la variedad de vida en todos los niveles: entre la especie misma (por ejemplo, diversidad genética), entre especies y entre ecosistemas. La diversidad a todas las escalas es importante pues le confiere funciones y resiliencia al ecosistema actuando como un sistema de seguridad contra variaciones ambientales futuras, particularmente frente al cambio climático venidero.

El okapio "jirafa de los bosques" (*Okapia johnstoni*), está restringido a las tierras húmedas bajas del bosque central y nororiental de la República Democrática del Congo. Investigaciones recientes han encontrado que no sólo es genéticamente distinta de su pariente más cercana la jirafa (*Giraffa camaleopardalis*) de quien se separó hace alrededor de dieciséis millones de años, sino que también es sorprendentemente diversa pues presenta casi la misma variabilidad genética que todo el grupo de pequeños antílopes africanos. Esto es aparentemente el resultado de los periodos de cambios históricos del clima ocurridos, de la fragmentación de los bosques y de la expansión de la Cuenca del Congo con separaciones y reencuentros subsecuentes de la población de okapis. La diversidad genética elevada significa que la especie es más resiliente a cambios climáticos futuros—siempre y cuando no sea primero extirpada por las presiones de la cacería así como por la pérdida y degradación del bosque. De manera inversa, las explotaciones forestales recientes en Guinea Bissau han provocado la reducción de los niveles de variabilidad genética en dos poblaciones simpátricas de monos, el colobo blanco y negro occidental (*Colobus polykomos*) y el colobo rojo occidental (*Piliocolobus badius temminckii*). Los cambios en su hábitat han ocasionado un fuerte cuello de botella genético para estas dos especies, siendo el colobo rojo el más afectado. Esto significa que su capacidad de adaptación a los cambios

other environmental conditions. Under future altered conditions, a different suite of species with different functional traits may be better adapted and become dominant. Most species that contribute strongly to carbon cycling also only do so within one region within Amazonia, highlighting the importance of diversity between different ecosystems.

These examples illustrate two ways of viewing biodiversity. The first is a "compositional" perspective of biodiversity, concerned with aggregations of organisms into species and higher taxa, populations, communities, and other categories. A complementary "functional" perspective focuses on ecological and evolutionary processes, which has led to the coining of the term and concept "functional biodiversity." This considers that primary forest ecosystems do not simply harbor biodiversity, but that this biodiversity underpins the vital functions, goods, and services they provide. For example, several recent studies suggest that greater biodiversity is generally matched by greater carbon storage. Consequently, there is concern and an increasing body of evidence that the loss of biodiversity in primary forests results in a functional degradation in addition to a taxonomic impoverishment, thereby impacting the provision of ecosystem services and reducing the resilience of the ecosystem itself.

ECOSYSTEM SERVICES

Primary forests provide a wide range of benefits to people through natural goods and services that are highly valuable from local to global levels. These "ecosystem services" include the provision of food, fresh water, medicine, fuel, and building material ("provisioning services" or products), regulation of hydrologic and carbon cycles ("regulating services" or benefits obtained from the regulation of ecosystem processes), recreational, spiritual, and educational values ("cultural services" or nonmaterial benefits), and soil formation, nutrient cycling, and primary production ("supporting services," which underpin the provision of all other ecosystem services). Millions of rural people living in or near primary forests directly depend on forest products for their daily needs and their sociocultural identity and well-being, as will be covered in the next chapter. In addition, because of their key role in planetary life-support systems, particularly climate and water regulation, all of humankind benefits from products and services derived from or delivered by primary forests.

ambientales se ve reducida, lo que incrementa la preocupación con respecto a su futuro a largo plazo, en vista de la continua presión de caza y pérdida de sus bosques a la que están expuestos.

En el extremo opuesto, las variaciones en, y entre comunidades del bosque son importantes para su futura adaptación. El bosque tropical húmedo amazónico alberga la diversidad de árboles más grande del planeta, estimadas en alrededor de 16,000 especies. A pesar de esta gran diversidad, una pequeña minoría (alrededor del 1 por ciento) de las especies arbóreas—las de maderas más duras y de mayor altura—son extremadamente comunes o "híper-dominantes", lo que contribuye de manera desproporcionada (50 por ciento) a la absorción y ciclado de carbono. Esto no significa que las especies más raras no sean importantes, pues es esta diversidad de especies de árboles la que permite que la composición del bosque tropical sea dinámica y capaz de adaptarse a los cambios de las condiciones climáticas y ambientales que enfrentan. Es probable que bajo condiciones cambiantes futuras, un ensamblaje diferente de especies con rasgos funcionales diferentes esté en mejores condiciones de adaptarse y convertirse en dominante. Muchas de las especies que contribuyen de manera importante al reciclado de carbono se encuentran solamente en una región de la Amazonía, lo que subraya la importancia de la diversidad entre los diferentes ecosistemas.

Estos ejemplos ilustran dos formas de ver la biodiversidad. La primera es una perspectiva de composición de la biodiversidad, preocupada con la concentración de organismos en especies de taxones de rango alto, poblaciones, comunidades y otras categorías. Otra perspectiva "funcional" complementaria se interesa en los procesos ecológicos y evolutivos, acuñando para ello el concepto y término de "biodiversidad funcional". Este último considera que los ecosistemas del bosque primario no solamente alojan biodiversidad, sino que gracias a las funciones vitales y los bienes y los servicios que éstos proveen. Como ejemplo de lo anterior estudios recientes observaron que a mayor biodiversidad, mayor capacidad de almacenamiento de carbono. Consecuentemente, existe gran preocupación y mucha mas evidencia de que la pérdida de biodiversidad en los bosques primarios tendrá como consecuencia la degradación funcional, además del empobrecimiento taxonómico ocasionado por la pérdida de la biodiversidad que afecta el aprovisionamiento de los servicios de los ecosistemas y reducirá su resiliencia.

Carbon

Primary forests have been dubbed the planet's "lungs." Through the process of photosynthesis, plants absorb (sequester) atmospheric carbon dioxide (CO_2) through their leaves and store the carbon in the woody biomass of long-lived trees and the soil, at the same time releasing oxygen back into the atmosphere. When they are logged, most of the biomass carbon is ultimately released back into the atmosphere as CO_2, which is a global-warming greenhouse gas. Protecting primary forests therefore plays a major role in mitigating climate change in two ways, first by maintaining the stored carbon stock and avoiding emissions to the atmosphere, and second through ongoing sequestration of CO_2, which further reduces atmospheric concentrations.

Primary forests store 30 to 70 percent more carbon than logged and degraded forests or plantations, because most living biomass carbon is found in large, old trees and in undisturbed soil stocks and peat, characteristic of primary forests (logging removes these large trees and disturbs soils and peatlands). Primary forests are also more resilient to external perturbations, including climate change and fire, than logged or planted forests, which means that their carbon stocks are more stable.

The density of primary forest carbon (tons of carbon per hectare; tC ha^{-1}) varies with biome and ecosystem type. For example, the average above-ground biomass carbon density is estimated at around 248 tC ha^{-1} for tropical moist forest, 498 tC ha^{-1} for warm temperate moist forest, 642 tC ha^{-1} for cool temperate moist forest, and 97 tC ha^{-1} for boreal moist forest. However, when total ecosystem carbon is considered, including below-ground soil organic carbon, boreal regions have the highest carbon densities, with some estimates showing densities 1.5 to 2 times greater than those for cool temperate moist forests. This occurs because a much larger proportion of "hidden" ecosystem carbon occurs as soil carbon in peat forests, which are found mainly in northern boreal forests (though also in some tropical forests, particularly in Southeast Asia and South America). Peat forest, which often underlies wetlands, covers only 2 to 3 percent of the Earth's surface but stores perhaps a quarter of its terrestrial carbon, and can release vast amounts of CO_2 if not properly managed. Recent research on mangrove forest has demonstrated that it, too, stores large amounts of carbon relative to its surface area, mainly underwater.

Every year, global deforestation releases about one billion tons of

LOS SERVICIOS DE LOS ECOSISTEMAS

Los bosques primarios son fuente de muchos beneficios para las personas gracias a los bienes naturales y los valiosos servicios que brindan a nivel local y global. Estos "servicios de los ecosistemas" incluyen el aprovisionamiento de alimentos, de agua, medicamentos, combustibles y de materiales de construcción ("aprovisionamiento de servicios" o productos); la regulación del ciclo hidrológico y del ciclo del carbono ("servicios de regulación" o beneficios obtenidos por la regulación de los procesos eco-sistémicos); valores de recreación, espirituales y educativos ("servicios culturales" o beneficios inmateriales) y, la formación de suelos, el ciclo de nutrientes y la producción primaria ("servicios de soporte", los que sustentan la provisión de todos los servicios ecológicos). Como se verá en el capítulo próximo, son millones los pobladores rurales que viven dentro o cerca de los bosques primarios y que dependen directamente de los productos forestales para sus necesidades cotidianas, para su identidad sociocultural y para su bienestar. Finalmente, los servicios derivados de los bosques primarios desempeñan un papel decisivo para los sistemas de soporte de vida planetario, de los que toda la Humanidad se ve beneficiada, particularmente mediante la regulación del clima y del agua.

El Carbono

Se dice que los bosques primarios son los "pulmones" del planeta. Mediante el proceso de la fotosíntesis las plantas absorben (capturan) dióxido de carbono atmosférico (CO_2) a través de sus hojas y almacenan carbono en la biomasa leñosa de los árboles maduros, así como en el suelo, al mismo tiempo que liberan oxígeno a la atmósfera. Al ser talados los árboles, la mayor parte de la biomasa de carbono es liberada de nuevo a la atmosfera en forma de CO_2, el cual es un gas de efecto invernadero causante del calentamiento global. Es por ello que la protección de los bosques primarios es un factor esencial para la mitigación del cambio climático en dos frentes: mediante la conservación de las reservas de carbono evitando la generación de emisiones a la atmósfera, y segundo, mediante la absorción del CO_2 reduciendo las concentraciones atmosféricas.

Los bosques primarios almacenan de 30 a 70 por ciento más carbono que los bosques talados o degradados o que las plantaciones debido a que la mayor parte del carbono de la biomasa se encuentra en los grandes árboles viejos, en las reservas de los suelos inalterados

carbon (GtC) into the atmosphere, some 10 percent of emissions from all human activity including fossil fuel use. These emissions are not reversible in the short term, as land that is completely cleared of its original vegetation and converted to pasture, industrial agriculture, or other land use is unlikely to recover its original vegetation cover and carbon storage capacity. In addition, forest degradation from activities such as road construction, large-scale infrastructure, industrial logging, and other industrial extractive activities makes a major contribution to annual global emissions, by some estimates contributing as much as deforestation to global anthropogenic emissions. Emissions from deforestation and degradation in the tropics alone have been estimated at 1 GtC. In 2008, degradation in Amazonia, largely induced by industrial logging, accounted for an area twice as large as that affected by deforestation. Forests degraded by selective logging can increase desiccation and fuel loading, resulting in a greatly increased vulnerability to fire and consequently increased emissions. Extensive road networks increase access and often facilitate further deforestation, as well as further degradation via defaunation (the extirpation of animal species).

In addition to protecting massive carbon stocks, we now know that most primary forests continue to sequester carbon and function as substantial carbon sinks for centuries through, among other things, ongoing tree growth and regeneration from natural disturbances, even when in an "old growth" phase. Primary forests can sequester 2.4 tC ha^{-1} yr^{-1}, with primary tropical forests estimated to sequester 1.3 GtC every year. Estimates of rates of carbon sequestration in boreal forests are highly variable but indicate that they also currently act as a net sink of carbon. Primary forest carbon stocks are relatively stable and are rarely sources of CO_2 unless they are subject to major disturbances. Studies have also reported increasing carbon storage in tropical forests as the result of enhanced growth rates, possibly due to water-use efficiency effects arising from higher atmospheric CO_2 concentrations.

Conserving and maintaining the ecological integrity and structural and compositional intactness of primary forests is therefore critical for protecting carbon stocks and ongoing carbon uptake. Taken all together, it has been suggested that avoided deforestation, avoided forest degradation, and forest regeneration and restoration in the tropics could account for 50 percent of total emissions over the next thirty to fifty years, helping to stabilize and then reduce atmospheric CO_2 concentrations. This could provide a crucial bridge to a low

y en la turbera característica de los bosques primarios (la tala elimina estos árboles y perturba los suelos y pantanos). Los bosques primarios también son más resilientes a alteraciones como el cambio climático y a los incendios que los bosques talados y reforestados, lo que significa que sus reservas de carbono son más estables.

La densidad del carbono del bosque primario (toneladas de carbono por hectárea: tC ha^{-1}) varía conforme al bioma y al tipo de ecosistema. Por ejemplo, el promedio de densidad de carbono de la biomasa superficial se estima alrededor de 248 tC ha^{-1} para un bosque tropical húmedo, de 498 tC ha^{-1} para un bosque cálido húmedo, de 642 tC ha^{-1} para un bosque húmedo templado frío y 97 tC ha^{-1} para el bosque boreal húmedo. Sin embargo, cuando se considera el carbono total de los ecosistemas, incluyendo el carbono orgánico del subsuelo, las regiones boreales son las que presentan las densidades de carbono más altas, estimándose densidades de 1.5 a 2 veces mayores que la del bosque húmedo templado frío. Esto se debe a que la mayor parte del carbono "oculto" del ecosistema se presenta como carbono del suelo en los bosques de turbera (que principalmente se encuentran en los bosques boreales del Norte, aunque también en algunos bosques tropicales, particularmente en el Suroeste Asiático y en Sudamérica). Los bosques de turbera, frecuentemente con humedales subyacentes, cubren solamente entre el 2 y 3 por ciento de la superficie de la Tierra, pero retienen hasta una cuarta parte del carbono terrestre, por lo que si no son manejados correctamente se pueden liberar cantidades enormes de CO_2. Investigaciones recientes sobre el bosque de manglar han demostrado que los bosques de turbera además almacenan grandes cantidades de carbono en relación a su superficie, especialmente cuando se encuentran sumergidos.

Cada día la deforestación global emite cerca de mil millones de toneladas de carbono (GtC) a la atmósfera, cerca del 10 por ciento de todas las emisiones de la actividad humana, incluido el uso de combustibles fósiles. Estas emisiones no son reversibles en el corto plazo porque es poco probable que las tierras desmontadas de su vegetación original y transformadas en pastizales, zonas agrícolas industriales o en algún otro uso, recuperen la capacidad de absorción de carbono de su cobertura vegetal original. Además, la degradación de los bosques producto de las actividades como la construcción de caminos, la construcción de infraestructura, la industria maderera y otras actividades extractivas industriales contribuye en gran medida a las emisiones de origen antropogénico que de acuerdo con algunas

estimaciones, dañan tanto como la deforestación misma. Tan sólo en los trópicos, las emisiones por deforestación y degradación del bosque se estimaron en 1 GTC. En 2008 la degradación de la Amazonía inducida en gran medida por la tala industrial dio cuenta del doble de la superficie afectada por la deforestación. La degradación por la tala selectiva puede incrementar la desecación del bosque y la generación de basura forestal, resultando en un incremento de la vulnerabilidad por incendios que a su vez contribuyen a las emisiones. Las redes de carreteras incrementan la accesibilidad facilitando la deforestación, así como la degradación ulterior del bosque por vía de la perdida de fauna (la extirpación de las especies animales).

Además de proteger grandes reservas de carbono, hoy sabemos que los bosques primarios continúan absorbiendo carbono durante siglos y funcionan como importantes sumideros, entre otras cosas porque los árboles continúan creciendo y regenerándose de las perturbaciones naturales, incluso durante la fase de envejecimiento. Los bosques primarios son capaces de retener 2.4 tC ha^{-1} por año y los bosques primarios tropicales alcanzan hasta 1.3 GtC anualmente. Las estimaciones de fijación de carbono para los bosques boreales son muy variables, aunque hay indicaciones de que funcionan como una red de sumideros de carbono. Las reservas de carbono del bosque primario son relativamente estables y rara vez liberan el CO_2 a menos de que sean objeto de grandes perturbaciones. Hay estudios que reportan un incremento del carbono absorbido por los bosques tropicales como resultado de tasas de crecimiento mayores, probablemente debido a una mejor eficiencia del uso del agua por la mayor concentración de CO_2 atmosférico.

La conservación y mantenimiento de la integridad estructural y ecológica y la composición intacta del bosque primario, son esenciales para resguardar el carbono almacenado así como preservar su capacidad para captarlo. Se ha sugerido que si se evitan la deforestación y la degradación de los bosques y si se lleva a cabo la restauración y regeneración de los bosques trópicales, eso por sí mismo daría cuenta del 50 por ciento del total de las emisiones para los próximos cincuenta años, logrando así estabilizar y luego reducir las

TROPICAL FOREST | BOSQUE TROPICAL
Kika region | Región Kika
Cameroon | Camerún
BRENT STIRTON

fossil fuel future and greatly improve our chances of limiting global warming to well below 2 degrees Celsius as committed in the Paris Climate Agreement.

Water

Forests and water are intrinsically linked. Trees need a lot of water to support their immense growth as photosynthesis and biomass production is a water-demanding process, which means that forests are found in areas with higher rainfall. In turn, they extract deep soil water and pump it back into the atmosphere through evapotranspiration—a combination of transpiration, a by-product of photosynthesis, and evaporation. This cools the air and drives cloud formation and precipitation. Tropical forests can help stabilize regional climate by this "precipitation recycling" phenomenon. In Amazonia, about 25 to 56 percent of precipitation originates in this way, and new analysis suggests that forest loss may disrupt the critical coupling between moisture recycling and circulation dynamics.

Forests also store huge volumes of water and shape and manage watersheds and the rivers and lakes that form a part of them. Canada's boreal forest, the size of Amazonia, contains the world's largest supply of unfrozen fresh water. Intact forested watersheds, with their understory, leaf litter, and organically enriched soil, reduce storm runoff and erosion by water, stabilize streambanks, shade surface water, cycle nutrients, and filter pollutants, and their waters are often cooler with less sediment, nutrients, and chemicals than water from other lands. Primary forests also support considerable freshwater biodiversity. Intact watersheds in the temperate rain forests of British Columbia and southeast Alaska, for example, support world-class salmon runs that are the base of the food pyramid for wolves, bears, and fishery-based economies.

Primary forest watersheds therefore generally result in higher quality water than other types of land cover and alternative land uses such as logging, which have been shown to increase sediment. Replacing old forests with young plantings often results in reduced water flow due to greater transpiration. Disturbance can reduce the mean annual runoff by up to 50 percent compared to that of a mature forest and can take as long as 150 years to fully recover. In a world heading to a population of nine billion people, potable and affordable water for human consumption will be an increasingly scarce and valuable resource and likely source of conflict.

concentraciones de CO_2 atmosférico. Lo anterior nos proporcionaría la oportunidad de lograr un futuro de consumo bajo en combustibles fósiles y mejorar sustantivamente nuestras oportunidades de limitar el calentamiento global muy por debajo de 2 grados Centígrados, tal y como fue comprometido en el Acuerdo Climático de París.

El Agua

El agua y los bosques están inherentemente ligados. Dado que la producción de biomasa y la fotosíntesis son procesos que requieren de mucha agua para soportar el fenomenal crecimiento de los árboles, los bosques se encuentran en áreas de alta precipitación. Los bosques tropicales pueden ayudar a la estabilización regional del clima mediante este fenómeno de "reciclaje del agua de lluvia". En la Amazonía, entre el 25 y el 56 por ciento de la precipitación se origina de esta manera y nuevos análisis sugieren que la pérdida del bosque puede interrumpir el fundamental engranaje entre el reciclado de la humedad y la dinámica de circulación.

Los bosques también almacenan grandes cantidades de agua. Conforman y controlan tanto a las cuencas como a los ríos y lagos que las forman. El bosque boreal canadiense que rivaliza en tamaño a la Amazonía, contiene la reserva de agua dulce más grande del mundo. El sotobosque, la hojarasca y los suelos ricos en materia orgánica de las cuencas boscosas intactas reducen los escurrimientos y la erosión hídrica, estabilizan las riberas, le dan sombra a los cauces, reciclan los nutrientes y filtran la contaminación. Sus aguas a menudo tienen temperaturas más bajas, menos sedimentos, menos nutrientes y compuestos químicos que las aguas de otros paisajes. Los bosques primarios también dan sustento a una considerable biodiversidad de agua dulce, por ejemplo, las cuencas intactas de los bosques templados lluviosos de la Columbia Británica y del Sureste de Alaska albergan las portentosas corridas de salmones que son la base de la pirámide alimenticia para lobos, osos y economías basadas en su pesca.

La calidad del agua de las cuencas cubiertas por el bosque primario generalmente es de mejor calidad que la de otros usos del suelo, como los de la industria maderera que registra mayores acarreos de sedimentos. La sustitución de bosques viejos por plantaciones nuevas a menudo resulta en una reducción de los flujos de agua debido a la mayor transpiración. La alteración puede reducir el promedio anual de escorrentía hasta en un 50 por ciento si lo comparamos con un bosque maduro, y su completa recuperación puede tomar hasta 150 años. Con

Adaptation and Local Climate

In addition to helping regulate local climate through evapotranspiration and cloud formation, primary forests also moderate wind speeds and reflect and absorb sunlight by the forest canopy, thus reducing surface evaporation and increasing humidity levels on the forest floor, and also buffering the understory from extremes of temperature and dryness. In terms of adaptation, this helps reduce the spread of wildfires and stabilizes various ecological processes. Primary forests also reduce the risks and impacts of climate-related hazards such as floods, sea-level rise, and storms. Mangroves are particularly important here and are one of the most valuable types of ecosystem in terms of natural capital.

Nature and Culture Linkages

The importance of forests for human well-being has long been recognized across past and contemporary societies and cultures. In forested countries, Indigenous Peoples form an integral part of the forest and can derive their entire livelihoods from it. India, a country that has lost the majority of its primary forests in the face of high human population pressure, retains at least 100,000 sacred groves. Protected for spiritual reasons, these patches also provide important ecological services that include soil conservation, watershed maintenance, and forest product provision, such as medicinal plants and wild meat. These sacred sites protect some of the last remaining forest fragments outside protected areas, and, though they are often small in size, one study found that species diversity was much higher than in disturbed forests.

PRIMARY FOREST LOSS AND DEGRADATION

Resilience and Intactness

Primary forests have greater resilience to external stresses compared to degraded forests. Amazonia, for example, has resisted previous changes in climate and should be capable of adapting to future climate change if landscapes remain intact by excluding industrial land use. A striking example is that of Suriname, which at 94 percent has the highest proportion of rain forest cover on Earth. Even when there are forest fires, droughts, or flooding in other parts of Amazonia, the intact forests of this unique country do not suffer from these problems.

As we have seen, maintaining "intactness" in its many forms is key to the persistence of primary forests and the full complement of

un mundo que pronto alcanzará los nueve mil millones de habitantes, la disponibilidad de agua potable asequible para consumo humano será un recurso cada vez más escaso, más preciado y constituirá una fuente de conflictos.

La Adaptación y el Clima Local

Además de participar en la regulación del clima local mediante la evapotranspiración y la formación de nubes, la bóveda forestal del bosque primario también modera la velocidad del viento, absorbe y refleja la luz solar, reduciendo la evaporación superficial, incrementando los niveles de humedad del suelo del bosque, además de amortiguar al sotobosque de la temperatura y desecación extrema. En términos de adaptación, lo anterior reduce los incendios y estabiliza los variados procesos ecológicos. Los bosques primarios también disminuyen los impactos de los riesgos producidos por fenómenos climáticos como las inundaciones, la elevación del nivel del mar y las tormentas. Los manglares tienen particular importancia en esto último, pues son uno de los ecosistemas más valiosos en términos de capital natural.

La Naturaleza y los Vínculos Culturales

La importancia de los bosques para el bienestar humano ha sido reconocida desde hace mucho tiempo entre las sociedades y culturas, pasadas y contemporáneas. En los países con bosques, los Pueblos Indígenas son parte integral del bosque y son capaces de obtener de ellos todo lo necesario para su subsistencia. La India, un país que ha perdido la mayor parte de sus bosques primarios y que sufre de una gran presión poblacional, conserva por lo menos 100,000 manglares sagrados protegidos por razones espirituales. Estos bloques proveen de servicios ecológicos importantes entre los que destacan la conservación de los suelos, el mantenimiento de las cuencas y el aprovisionamiento de productos forestales como plantas medicinales y carnes silvestres. Estos sitios sagrados protegen algunos de los fragmentos remanentes de bosques fuera de las áreas protegidas y a pesar de ser pequeños en tamaño, un estudio encontró una diversidad de especies mucho más alta que en los bosques alterados.

LA PÉRDIDA DEL BOSQUE PRIMARIO Y SU DEGRADACIÓN

La Resiliencia y la Integridad

En comparación con los bosques degradados, los bosques primarios presentan una mayor resistencia al estrés externo. La Amazonía

biodiversity and ecosystem services that they provide. Intactness can be regarded in terms of composition (containing the full complement of structural and species biodiversity), function (providing ecological functionality and integrity), and size (consisting of large tracts of undisturbed forest to enable landscape-level dynamics). Maintaining the integrity of natural regeneration processes depends on maintaining a structurally intact canopy, residual seed trees, and native fauna. Large-scale intact forests are needed to enable persistence of populations of rarer tree species and the widest-ranging animals, such as forest elephants, tigers, and gray wolves, and delivery of global or regional-level ecosystem services, such as water and climate regulation. Unfortunately, new analysis has shown a global loss of interior forest—core areas that, when intact, maintain critical ecosystem functions—signaling increasing forest fragmentation.

However, even relatively small blocks of primary forests can be important in securing local-level biodiversity and ecosystem services, such as protecting a key amphibian or securing a streambank. These forests assume particular conservation significance in otherwise extensively cleared and fragmented bioregions, such as refuges, core zones, reference areas, and sources of propagules for landscape restoration. Efforts should therefore be made to protect these forest blocks and buffer and connect them with neighboring forest areas to reduce their vulnerability to "edge effects" (the changes in or impacts on population or community structures that occur at the boundary of two habitats) and better ensure their long-term persistence. A study of the impacts of tropical forest fragmentation in Thailand observed the near total loss of native small mammals within five years from fragments less than 10 hectares in size, and within twenty-five years from fragments of 10 to 56 hectares, with these local extinctions driven by the presence of an invasive rat, a common phenomenon in human-modified landscapes. This example illustrates the vulnerability of small forest blocks, but also the frequent time lag or "extinction debt" before the species are extirpated, which can buy some time to reforest surrounding areas to prevent this. A study of butterfly assemblages in fragmented Bornean rain forests found that despite having lower

TROPICAL FOREST | BOSQUE TROPICAL
Dendrolagus matschiei | Huon tree kangaroo | Canguro arborícola huon
Huon Peninsula | Península de Huon
Papua New Guinea | Papúa Nueva Guinea
TIM LAMAN

por ejemplo, ha resistido cambios climáticos pasados y será capaz de adaptarse al futuro cambio climático si el paisaje permanece intacto impidiendo el cambio del uso del suelo a uno de explotación industrial. Un ejemplo sorprendente es el de Surinam, que tiene el porcentaje de cobertura de bosque lluvioso más alto (94 por ciento) de la Tierra. En la Amazonía, cuando se presentan incendios forestales, sequias o inundaciones, el bosque intacto es el único que no sufre estos problemas.

Como hemos visto, la conservación de la integridad es clave para la subsistencia de los bosques primarios y también para la biodiversidad y para el suministro de los servicios ecológicos que proporcionan. La integridad puede ser vista en términos de su composición (por su estructura general y biodiversidad de especies), su función (funcionalidad ecológica e integridad) y tamaño (grandes extensiones de bosques intactos que permitan las dinámicas a nivel de paisaje). La conservación de la integridad de los procesos naturales de regeneración depende de la preservación del dosel arbóreo, de las semillas residuales de los árboles y de la fauna nativa. Los grandes bosques intactos son necesarios para la supervivencia de las especies de árboles más raras y de la mayor parte de la diversidad de animales salvajes, como los elefantes del bosque, tigres y los lobos grises, así como la provisión de servicios ecológicos a nivel regional y local como el agua y la regulación del clima. Desafortunadamente, los últimos estudios indican una pérdida global de los bosques interiores—zonas núcleo que cuando se conservan intactos los ecosistemas mantienen su función esencial—indicando una creciente fragmentación de los bosques.

A pesar de lo anterior, incluso espacios reducidos de bosque primario pueden constituir un respaldo de seguridad para los servicios de los ecosistemas como la biodiversidad a nivel local (por ejemplo, protegiendo los pequeños anfibios o un ribera). Estos bosques juegan un papel particularmente importante en zonas deforestadas o en bioregiones fragmentadas, como refugios, zonas núcleo, zonas de referencia y son fuentes de propágulos para la restauración del paisaje. Por ello se deben llevar a cabo esfuerzos para proteger a estos fragmentos boscosos amortiguando su impacto e interconectando los bloques contiguos para reducir su vulnerabilidad al "efecto frontera" (cambios o impactos en la estructura poblacional o de su comunidad que tiene lugar en los límites de dos hábitats) y con ello asegurar su permanencia a largo plazo. Un estudio sobre los impactos de la fragmentación del

species richness and Bornean endemics disappearing in patches smaller than 4,000 hectares, relatively small and isolated remnants of forest still make a substantial contribution to regional diversity. This mirrors findings in the fragmented Brazilian Atlantic Forest and the Western Ghats, meaning that such areas should definitely not be overlooked in conservation efforts.

Forest Degradation

Even under "sustainable" forest management, logging-related forest disturbance has significant direct effects on forest structure. For example, removal of as few as 3 percent of the trees can reduce canopy cover by as much as 50 percent. Opening up of the canopy changes light and temperature conditions, dries soil, increases the risk of fire, changes the distribution of forest resources for fauna, and alters species interactions. Recovery of species composition similar to the original primary forests may require hundreds to thousands of years and is by no means guaranteed.

Defaunation

The indirect impacts of forest degradation and disturbance are often overlooked but are substantial. Opening up of intact primary forests by roads and for resource extraction can cause both deforestation and degradation by facilitating colonization, small-scale agriculture, disease, alien invasive species, and hunting. Hunters preferentially select large-bodied, seed-dispersing, frugivorous mammals, which tend to disperse seeds of the larger, more carbon-rich trees (more than 70 percent of animals in an average Central African village hunting offtake have a seed dispersal role, as do forest elephants targeted for ivory). In the absence of their faunal dispersal agents, recruitment and survival of seedlings is reduced for these tree species. As a result, across the tropics, forests heavily hunted over the past three decades have recorded increases in the establishment of fast-growing pioneer species and lianas and the loss of large hardwood trees. Defaunation for the trade in bushmeat and wildlife products can be viewed as an invisible time bomb, as the secondary impacts in terms of tree seed dispersal and recruitment may not be seen for decades. What is more, the difficulty of monitoring trends in elusive forest wildlife populations means that forest cover and tree density are often used as proxy indicators of ecosystem health, masking the increasingly common phenomenon of the "empty forest syndrome."

bosque tropical en Tailandia, en 5 años registró la pérdida casi total de los pequeños mamíferos nativos cuando los fragmentos de bosque se redujeron a entre 10 y 56 hectáreas. Estas extinciones fueron inducidas a nivel local por las ratas, un fenómeno común que se presenta en los paisajes modificados por los humanos. Este ejemplo ilustra la vulnerabilidad de los pequeños bloques boscosos, además del típico desfase o "deuda de extinción" previa a la extirpación de las especies, que bien puede proveer el margen de tiempo necesario para reforestar los alrededores de las áreas para prevenirlo. Un estudio sobre asociaciones de mariposas del bosque húmedo fragmentado de Borneo encontró que a pesar de la disminución de la abundancia y desaparición de especies endémicas en los bloques menores de 4,000 hectáreas, algunos remanentes relativamente pequeños de bosques aislados constituyen una contribución importante a la diversidad regional. Estos hallazgos son una réplica de lo observado en el fragmentado Bosque Atlántico de Brasil y en los Ghats Occidentales de la India, lo que subraya que estas áreas definitivamente no deben ser ignoradas por las iniciativas de conservación.

La Degradación del Bosque

Los trastornos relacionados con la tala, incluso bajo esquemas de manejo "sustentable", tienen un efecto directo importante en la estructura de los bosques. Por ejemplo, la remoción de hasta el 3 por ciento de los árboles puede reducir la cubierta arbórea hasta en un 50 por ciento, lo que produce un cambio en la insolación y en las condiciones de temperatura y humedad del suelo lo que a su vez incrementa los riesgos de incendio, induce el cambio de la distribución de los recursos forestales y de la fauna y altera la interacción de las especies. La recuperación de la composición similar a la original del bosque primario puede tomar cientos o miles de años, y aun así no hay nada que lo garantice.

La Defaunación

Los impactos indirectos de la degradación y perturbación de los bosques son frecuentemente ignorados aunque son, de hecho, sustanciales. La apertura de un bosque primario intacto con carreteras y extracción de recursos puede ocasionar tanto deforestación como degradación al facilitar la colonización, la agricultura a pequeña escala, enfermedades, especies invasoras y cacería. Los cazadores seleccionan de manera preferencial a los mamíferos grandes, frugí-

Linkages and Tipping Points

The latest science clearly demonstrates that biodiversity is not just a nice-to-have "co-benefit" of conserving primary forests, but a fundamental functional necessity for their long-term persistence and the delivery of critical ecosystem services. Overall ecosystem function is affected when degradation disrupts the linkages between forests, biodiversity, water, and carbon. This in turn makes the forest more susceptible to the impacts of climate change and other types of environmental change and further reduces its capacity for carbon uptake and climate regulation.

Leading scientists have warned of "tipping points," where such impacts could trigger positive feedback loops, ultimately leading to ecosystem collapse and taking us beyond a "safe operating space" for humanity. Amazonia and Central Africa are most susceptible to deforestation-driven warming and drying. For example, one recent study of the vegetation canopy of the Amazon found that precipitation has declined by 69 percent since 2000. Changes in regional climate could exacerbate drought-related tree mortality, which in turn would reduce biomass growth, the density of carbon stocks, increase fire risk, and lower biodiversity. Such changing weather patterns and reduced water availability might also directly threaten agriculture, which generates $15 billion per year in Amazonia, the hydropower industry, which supplies 65 percent of Brazil's electricity, as well as water supply for major cities in the surrounding regions.

The critical role primary forests play in planetary life-support systems is clear, especially in maintaining the global carbon cycle and in meeting international biodiversity and sustainable development goals. Let us hope that governments learn the lessons of the English uplands, the Sumatran peatlands, and many other places around the world, and that they enact policies to protect the planet's remaining primary forests before we reach climate and biodiversity tipping points, and while it is still feasible and relatively cost-effective to do so.

NOËLLE F. KÜMPEL, BRENDAN MACKEY, TILMAN JAEGER, RUSSELL A. MITTERMEIER, WILLIAM F. LAURANCE, SUSAN GOULD, JONATHAN E. M. BAILLIE, and CYRIL F. KORMOS

voros y dispersores de semillas, los cuales dispersan las semillas de los árboles grandes y ricos en carbono (más del 70 por ciento de los animales cazados en una aldea promedio en África Central juegan un papel como dispersores de semillas, al igual que los elefantes que son cazados por su marfil). En ausencia de agentes faunísticos dispersores, el reclutamiento y supervivencia de las plántulas de esas especies de árboles se ven reducidos. Como resultado, en toda la zona tropical, los bosques que han sufrido de cacería intensiva en la últimas tres décadas también registran un incremento en el establecimiento de especies pioneras y lianas así como una pérdida de árboles leñosos grandes. La defaunación debida al tráfico de carne de monte y productos de vida silvestre se puede considerar como una bomba de tiempo invisible, ya que los impactos secundarios en la dispersión y reclutamiento de semillas de árboles pueden no ser evidentes durante décadas. Lo que es más, la dificultad para monitorear las tendencias en las elusivas poblaciones de vida silvestre del bosque significa que la cubierta y la densidad forestal frecuentemente se usan como indicadores aproximados de la salud del ecosistema, lo que encubre el cada vez más común fenómeno que se conoce como el "Síndrome de Bosque Vacío".

Las Asociaciones y los Puntos de Inflexión

Los últimos avances científicos demuestran claramente que la biodiversidad de los bosques primarios no es solamente beneficiosa por gusto, sino que es una necesidad funcional esencial para la conservación de los servicios de los ecosistemas a largo plazo. Todas las funciones de los ecosistemas se ven afectadas cuando la degradación trastorna las relaciones entre bosques, entre la biodiversidad, el agua y el carbono, haciendo a los bosques más sensibles a los impactos del cambio climático y a otros tipos de cambios ambientales, reduciendo además su capacidad para fijar carbono y para regular el clima.

Científicos destacados han advertido sobre los "puntos de inflexión" en los que los impactos pueden disparar ciclos de retroalimentación positiva y llevar al colapso del ecosistema, poniendo a la Humanidad "fuera del área de seguridad". Las regiones más susceptibles al calentamiento y desertificación son la Amazonía y el África Central. Un estudio reciente sobre el dosel arbóreo de la Amazonía encontró que la precipitación había declinado en 69 por ciento desde el año 2000. Estos cambios de clima regional pueden exacerbar la mortalidad de los árboles por sequía, lo que a su vez produce una reducción del

crecimiento de la biomasa y de la densidad de almacenamiento de carbono, así como el incremento de incendios y la disminución de la biodiversidad. Tales patrones de cambio climático y de reducción de disponibilidad de agua en la Amazonía pueden además afectar a la agricultura, que anualmente produce 15,000 millones de dólares. También se vería afectada la industria hidroeléctrica que produce el 65 por ciento de la energía eléctrica del Brasil, además del suministro de agua para las grandes ciudades que circundan la región.

Es claro el papel fundamental que juegan los bosques primarios para todos los sistemas de soporte de vida del planeta, en particular para la conservación del ciclo global del carbono y para alcanzar las metas internacionales de biodiversidad y desarrollo sustentable. Esperemos que los gobiernos aprendan la lección de las tierras altas de Inglaterra o de las turberas de Sumatra y de muchos sitios alrededor del mundo y que pongan en práctica las políticas necesarias para proteger los bosques primarios que subsisten en el planeta, antes de que alcancemos los puntos de inflexión de biodiversidad y clima, y mientras aún sea factible hacerlo a un costo relativamente económico.

NOËLLE F. KÜMPEL, BRENDAN MACKEY, TILMAN JAEGER, RUSSELL A. MITTERMEIER, WILLIAM F. LAURANCE, SUSAN GOULD, JONATHAN E. M. BAILLIE y CYRIL F. KORMOS

TROPICAL FOREST | BOSQUE TROPICAL
Cercopithecus mona | Mona monkey | Cercopiteco mona
Boabeng-Fiema Monkey Sanctuary | Santuario de Monos Boabeng-Fiema
Ghana
FRANS LANTING/LANTING.COM

BOREAL FOREST BIOME

Also known as the taiga, boreal forests form a circumpolar belt across northern North America and northern Eurasia, amounting to more than 1.2 billion hectares, or roughly one-third of the global forest estate. Little more than one-third can be classified as primary forest today. To the north they transition into the tundra, to the south they are contiguous with the temperate forests of the northern hemisphere. The bulk of the vast boreal forest biome is situated in the Russian Federation, Alaska, and Canada, with smaller expanses in Scandinavia, Central Asia, including Mongolia, and Japan. The world's boreal forests share many ecological similarities, including much of their flora and fauna. While spruce, fir, larch, and other conifers dominate, broadleaved trees, such as birch and willow, are an integral part of the forest ecosystems. The impressive abundance and diversity of vertebrates encompasses charismatic large mammals, such as brown bear, wolf, lynx, and the elusive wolverine. Beyond species values, boreal forests store large quantities of carbon and fresh water. The boreal forest has long been—and continues to be—the physical and spiritual home of numerous Indigenous Peoples. To this day, hunting, fishing, and gathering continue to be of critical importance to their livelihood and culture. The fate of the remaining primary boreal forests is therefore a matter of both nature conservation and cultural survival.

EL BIOMA BOSQUE BOREAL

También conocido como la taiga, el bosque boreal forma el cinturón circumpolar a través del norte del continente americano y de Eurasia, totalizando más de 1,200 millones de hectáreas, que es casi la tercera parte del patrimonio forestal global. Hoy solo un poco más de un tercio de éste se puede clasificar como bosque primario. Hacia el norte los bosques trascienden a la tundra y hacia el sur colindan con los bosques templados del hemisferio norte. Gran parte del vasto bioma boreal está situado en la Federación Rusa, Alaska y Canadá, con pequeñas ramificaciones en Escandinavia, Asia Central incluyendo a Mongolia y Japón. Los bosques boreales del mundo comparten muchas similitudes, incluyendo su flora y su fauna. Predominan los abetos, el alerce y otras coníferas; los árboles de hoja ancha como el abedul y el sauce son parte integral de los ecosistemas forestales. La impresionante abundancia y biodiversidad de vertebrados comprende a grandes mamíferos carismáticos como el oso pardo, el lobo y el lince, así como el elusivo glotón. Más allá del valor de sus especies, los bosques boreales alma-cenan grandes cantidades de carbono y agua dulce. El bosque boreal por mucho tiempo ha sido—y continúa siendo—el hogar físico y espiritual de numerosos Pueblos Indígenas. Hasta hoy, la caza, la pesca y la recolección continúan siendo de esencial importancia para su cultura y subsistencia. El destino de los remanentes del bosque boreal es por tanto, una cuestión tanto de conservación de la naturaleza como de supervivencia cultural.

Strix nebulosa | Great grey owl | Cárabo lapón
Oulu
Finland | Finlandia

PETER CAIRNS/WILD WONDERS OF EUROPE

PRECEDING PAGES/PÁGINAS ANTERIORES
Coniferous forest | Bosque de coníferas
Wind River, Yukon | Río Wind, Yukón
Canada | Canadá

PETER MATHER/NAT GEO CREATIVE

Ursus arctos | Grizzly bear | Oso pardo
Fishing Branch Territorial Park, Yukon |
Parque Territorial Fishing Branch, Yukón
Canada | Canadá

PAUL NICKLEN

Lichen forest | Bosque de líquenes
Komi Forest, Komi Republic |
Bosque de Komi, República de Komi
Russia | Rusia

MARKUS MAUTHE

< Komi Forest, Komi Republic |
Bosque de Komi, República de Komi
Russia | Rusia

MARKUS MAUTHE

Oulanka National Park, Northern Ostrobothnia |
Parque Nacional de Oulanka, Ostrobotnia del Norte
Finland | Finlandia

SANDRA BARTOCHA

Aurora borealis
Yukon | Yukón
Canada | Canadá
PAUL NICKLEN

Evenki reindeer herder | Pastor de renos Evenki
Siberia, Russia | Siberia, Rusia
CHRIS LINDER

Alces alces | Eurasian moose | Alce eurasiático
Sarek National Park, Norrbotten |
Parque Nacional de Sarek, Norrbotten
Sweden | Suecia
STAFFAN WIDSTRAND

Klappan River, British Columbia |
Río Klappan, Columbia Británica
Canada | Canadá
PAUL COLANGELO

Sakha Republic, Siberia | República de Sakha, Siberia
Russia | Rusia

CHRIS LINDER

Gulo gulo | Wolverine | Glotón
Kurilskoye Lake, Kamchatka | Lago Kurilskoye, Kamchatka
Russia | Rusia
SERGEY GORSHKOV

Populus tremuloides | Aspen | Álamo
Picea glauca | White spruce | Abeto blanco
Near Grande Prairie, Alberta |
Cerca de Grande Prairie, Alberta
Canada | Canadá

GARTH LENZ

Chopko River, Putorana Plateau | Río Chopko, Meseta de Putorana
Russia | Rusia
SERGEY GORSHKOV

Coniferous forest | Bosque de coníferas
King Mountain, Alaska | Monte King, Alaska
United States of America | Estados Unidos de América
KONSTANTIN MIKHAILOV

Coniferous forest | Bosque de coníferas
Stubba Nature Reserve, Laponia |
Reserva Natural Stubba, Laponia
Sweden | Suecia
ORSOLYA HAARBERG/NAT GEO CREATIVE

Lynx canadensis | Canadian lynx | Lince canadiense
Fishing Branch Territorial Park, Yukon |
Parque Territorial Fishing Branch, Yukón
Canada | Canadá
PAUL NICKLEN

Coniferous forest | Bosque de coníferas
Montagnes Blanches, Quebec |
Montañas Blancas, Quebec
Canada | Canadá

MARKUS MAUTHE

3 Indigenous Peoples and Primary Forests
Los Pueblos Indígenas y los Bosques Primarios

INDIGENOUS PEOPLES number about 370 million in some seventy countries across the globe, from the heart of Amazonia and the Congo Basin to both boreal and temperate forests. For many of these Indigenous Peoples, primary forests are home. Indigenous Peoples depend directly on these forests for their livelihoods, using wild plants and animals for food, clothing, fuel, medicine, and shelter. Their identities, cultural and spiritual values, and social organization are also intrinsically linked to primary forests and the services they provide. Because these forests are core to their survival, Indigenous Peoples have learned to sustain them, using deep knowledge and specialized practices developed through centuries or millennia of interaction with the forest environment.

Indigenous territories in primary forests are not only home to ancient traditional cultures but also often serve as some of the last havens for endangered biodiversity and as vast storehouses for carbon and fresh water. Unfortunately, these territories are also frequently situated in landscapes experiencing rapid socioeconomic change resulting from a variety of factors, including infrastructure development, logging, oil, gas, and mineral extraction, hydroelectric projects, and industrial agriculture. As a result, deforestation and forest fragmentation increasingly threaten indigenous lands as road networks expand into areas of primary forest, with well-documented

TROPICAL FOREST | BOSQUE TROPICAL
Enga dancers | Danzantes Enga
Mount Hagen
Papua New Guinea | Papúa Nueva Guinea
CHRISTINA MITTERMEIER

DESDE EL CORAZÓN de la Amazonía y la Cuenca del Congo hasta los bosques boreales y templados, las poblaciones indígenas del mundo comprenden a unas 370 millones de personas, distribuidas en setenta países. Los bosques primarios son hogar para muchos de estos Pueblos Indígenas y de ellos dependen directamente para su subsistencia—utilizando plantas silvestres y animales para su alimentación, vestido, combustible, medicinas y refugio. El bosque es parte de su identidad, sus valores culturales y espirituales, así como su organización social que se encuentra intrínsecamente ligada al bosque y a los servicios que éste les proporciona. Debido a que los bosques son su principal fuente de supervivencia, los Pueblos Indígenas han aprendido a mantenerlos utilizando un conocimiento profundo y prácticas de interacción con el medio forestal desarrolladas durante siglos o milenios. Los territorios indígenas en los bosques primarios no sólo son el hogar de sus culturas tradicionales, sino que además sirven como último remanso para la biodiversidad en peligro y como un gigantesco depósito de carbono y agua. Desafortunadamente, estos territorios a menudo se encuentran ubicados en zonas que sufren cambios socioeconómicos muy rápidos como resultado de una suma de factores, entre los que se encuentran el desarrollo de infraestructura, la tala, la extracción de minerales y de petróleo, los proyectos hidroeléctricos y la agroindustria. Resultado de lo anterior son la deforestación y la fragmentación de los bosques primarios dentro de los territorios indígenas, los que se ven amenazados cada vez más por el incremento de las redes de carreteras que se acompaña de otros efectos secundarios como asentamientos humanos, la caza excesiva, así como la minería y la tala ilegales.

secondary effects, such as colonization, overhunting, and illegal mining and logging.

In addition, international and national market mechanisms of the last decade that focused on carbon offsets have led to a new threat. Although these mechanisms were intended as incentives for Indigenous Peoples to protect the considerable carbon stores in their forests, there have been many unfortunate instances where Indigenous Peoples were exploited by individuals or organizations seeking to profit from the peoples' conservation efforts by selling carbon credits derived from indigenous lands.

Fortunately, in many places indigenous communities have been able to respond to such threats, raising their voices and initiating successful campaigns to secure their traditional rights, as well as greater protection for the primary forests that sustain them, often through adaptive management schemes based on their traditional knowledge and practices. Indeed, numerous studies indicate that one of the most effective ways of contributing to conservation efforts globally is to recognize Indigenous Peoples' rights to their territories.

Indigenous organizations have also engaged in international discussions on climate change and biodiversity and have supported initiatives to conserve primary forests. These groups continue to be key actors in national and international negotiations, utilizing the United Nations Declaration on the Rights of Indigenous Peoples, which lays out comprehensive principles on human rights for Indigenous Peoples and governments to follow, though they are not legally binding. Prior to the declaration, other policy mechanisms were utilized, such as the International Labor Organization's Convention 169 and the Indigenous and Tribal Peoples convention, 1989.

It is also important to recognize that the creation of new protected areas has in many instances resulted in removing Indigenous Peoples from their lands or otherwise restricting their access to them. Growing recognition of this problem ultimately led to a major shift within the conservation community, signaled at the 2003 IUCN 5th World Parks Congress held in Durban, South Africa. The Durban Accord gave voice to the international conservation community's concern that local communities and Indigenous Peoples were not being given sufficient recognition or support for the places they had conserved over many generations. The Durban Accord also called for greater involvement of these groups in the creation, proclamation, and management of protected areas and in the sharing of benefits from protected areas.

Aunado a lo anterior, los mecanismos del mercado nacional e internacional que en las últimas décadas se enfocaron a la compra de derechos de emisión de carbono, han generado una nueva amenaza. A pesar de que estos mecanismos fueron diseñados como un incentivo para que los Pueblos Indígenas protegiesen la enorme acumulación de carbono en sus bosques, se han suscitado muchas instancias desafortunadas en donde los Pueblos Indígenas están siendo explotados por personas y organizaciones que buscan beneficiarse de los esfuerzos de conservación mediante la venta de los créditos de carbono asignados a las tierras indígenas.

Afortunadamente, muchas comunidades indígenas han reaccionado a estas amenazas alzando sus voces e iniciando campañas exitosas que garantizan sus derechos tradicionales y proporcionan una mayor protección a los bosques primarios de los cuales obtienen su sustento a través de esquemas adaptativos de manejo basados en sus conocimientos y prácticas tradicionales. De hecho, muchos estudios indican que una de las formas más efectivas de contribuir a la conservación a nivel global es mediante el reconocimiento de los derechos territoriales de los Pueblos Indígenas.

Las organizaciones indígenas también se han involucrado en las discusiones globales sobre el cambio climático y la biodiversidad, apoyando las iniciativas de conservación del bosque primario. Estos grupos siguen siendo actores clave en las negociaciones nacionales e internacionales esgrimiendo la Declaración de las Naciones Unidas sobre los Derechos de los Pueblos Indígenas, que establece los principios generales de los derechos humanos que deben seguir los Pueblos Indígenas y los gobiernos, aunque no sean legalmente vinculantes. Antes de existir la declaración, se utilizaron otros mecanismos normativos como el propuesto por la Convención 169 de la Organización Internacional del Trabajo, o la Convención sobre Pueblos Indígenas y Tribales en Países Independientes de 1989.

También es importante reconocer que la creación de nuevas áreas protegidas en muchas instancias han tenido como resultado la extirpación o el impedimento del acceso de los Pueblos Indígenas a sus tierras. El reconocimiento de este problema condujo finalmente a un cambio dentro de la comunidad conservacionista enviando un mensaje en el V Congreso Mundial de Parques de la UICN en Durban, Sudáfrica en 2003. El Acuerdo de Durban le dio voz a la preocupación de la comunidad conservacionista internacional sobre el insuficiente reconocimiento y apoyo que se le ha dado a los sitios que las

Finally, the accord also stressed the need to recognize, strengthen, protect, and support community conservation areas and to recognize community and Indigenous Peoples' rights. Throughout the world, governments and conservation organizations have responded to this call to action.

Although many indigenous communities are among the most vulnerable in the face of a rapidly changing climate, they are also in the position to most effectively protect and manage primary forests. Today, for example, more than 22 percent of the Amazon basin is managed by Indigenous Peoples in different ways, even though such rights continue to come under political pressure and are not always enforced on the ground. Indigenous territories often combine some of the most carbon-rich lands with the lowest deforestation rates in the region. Indeed, in many instances indigenous lands have been more effective than government-protected areas at maintaining biodiversity, carbon capture, and other ecosystem services, especially where government capacity to manage protected areas is low.

For example, the forests of the Guiana Shield in the northeastern corner of South America are still largely intact and home to a number of Amerindian peoples. This region includes parts of six countries: Suriname, Guyana, the French department of French Guiana, about half of Venezuela, a considerable part of Brazilian Amazonia, and a small portion of Colombia. Despite being in the tropics, this region is one the most sparsely populated in the world, comparable to northern Canada and Siberia. French Guiana, Suriname, and Guyana are the three top countries worldwide in terms of forest area per capita and Suriname's 94 percent rain forest cover makes it the largest remaining on Earth. For this reason, Suriname is often referred to as "the Greenest Country on Earth."

In Guyana, primary forests are populated principally by nine indigenous groups or Amerindians; the Wapishana, Akawaio, Arekuna, Macushi, Carib, Warrow, Patamona, Arawak, and Wai-Wai. All of these communities are working to maintain their traditional way of life in the face of modern world changes and striving to maintain stewardship of the lands and natural resources they inherited from the first record of human life in the region, some 9,500 years ago.

At the southernmost tip of Guyana, a small group of Wai-Wai Amerindians manage their ancestral lands—a 625,000-hectare reserve on the banks of the Essequibo River—by blending traditional governance and resource use with modern management and zoning

comunidades y Pueblos Indígenas han protegido durante generaciones. El Acuerdo de Durban también hizo patente la necesidad de un mayor involucramiento de estos grupos en la creación, proclamación y administración de las áreas protegidas, así como en su participación de los beneficios derivados de su gestión. Finalmente, el acuerdo también subraya la necesidad de reconocer, fortalecer, proteger y apoyar las áreas de conservación comunitarias, así como reconocer los derechos de las comunidades y de los Pueblos Indígenas. Los gobiernos y organizaciones conservacionistas de todo el mundo han respondido a este señalamiento.

A pesar de que muchas comunidades indígenas se encuentran entre las más vulnerables frente al rápido cambio climático, también es cierto que están en una posición ventajosa para proteger y manejar los bosques primarios. Hoy por hoy, más del 22 por ciento de la cuenca del Amazonas es manejada en muchos aspectos por los Pueblos Indígenas, a pesar de que sus derechos están bajo presión política y de que no siempre reciben apoyo. Los territorios indígenas a menudo albergan algunas de las tierras más ricas en carbono y con los índices de deforestación regional más bajos. De hecho, en muchos casos han sido más efectivos que las áreas protegidas gubernamentales para proteger la biodiversidad, para asegurar la absorción de carbono y el aprovisionamiento de otros servicios ecológicos, especialmente en los sitios en donde es baja la capacidad gubernamental para manejar las áreas protegidas.

Los bosques del nororiente del Escudo Guyanés en Sudamérica son un ejemplo de lo anterior, ya que por ser el hogar de un gran número de pueblos amerindios, se encuentran en su mayoría intactos. Esta región incluye a seis países: Surinam, Guyana, el Departamento de Guyana Francesa, cerca de la mitad de Venezuela, una parte considerable de la Amazonía brasileña y una pequeña parte de Colombia. A pesar de encontrarse en los trópicos, esta región es comparable con el norte de Canadá o con Siberia en terminos de ser una de las menos pobladas del mundo. La Guyana Francesa, Surinam y Guyana son los tres países con el mayor índice de área forestal per cápita del mundo, y la cubierta forestal húmeda de Surinam, que alcanza el 94 por ciento, es el mayor remanente de bosque tropical intacto en la Tierra. Por lo anterior, a Surinam con frecuencia se le reconoce como el "país más verde del Mundo".

Son nueve los grupos indígenas o pueblos amerindios que habitan el bosque primario de Guyana: los Wapishana, Akawaio, Arekuna,

TROPICAL FOREST | BOSQUE TROPICAL
Kayapó warrior | Guerrero Kayapó
Pará
Brazil | Brasil
CRISTINA MITTERMEIER

methods. In order to safeguard and protect their forest and preserve their cultural homelands, the Wai-Wai obtained absolute title to their land from the Guyanese government in 2004. They declared their lands a Community-Owned Conservation Area (COCA) in order to preserve their forests and wildlife and to guarantee their natural resources, their culture, and their way of life for future generations.

In March 2015, Suriname's Trio and Wayana communities declared the creation of an indigenous conservation corridor spanning 7.2 million hectares in one of the least disturbed parts of Amazonia and comprising almost half of Suriname's total area. It includes some of the most pristine and intact forests on the planet, which are essential for the country's biodiversity, climate resilience, and freshwater security, as well as the balance of life on Earth. The conservation corridor also serves as the basis for an emerging green development strategy and is the first initiative of its type undertaken by Suriname's Indigenous Peoples.

In striking contrast to the intactness of the Guiana Shield region, the southeastern part of Brazilian Amazonia, an area known as the "ring of fire," is undergoing rapid deforestation due to logging, cattle pasture, agricultural expansion, and road development, with little to no law enforcement. Within this "ring of fire" lies the Rio Xingu basin, which encompasses several critically important indigenous territories, including the traditional lands of the Kayapó, spanning more than 11 million hectares of primary forest and savanna. Further to the south lies the Xingu National Park and Indigenous Preserve, home to sixteen tribes. The Kayapó's deep relationship to the forest and respect for nature has led them to fiercely protect their forests from outsiders, enabling them to maintain their vast territory in remarkably good condition despite a small population (some seven thousand people), limited resources, and tremendous ongoing pressures. Today, thanks to an $8 million trust fund, whose capital was provided by Conservation International (CI) and the Brazilian Development Bank (BNDES), and which was developed with the support of other organizations, including the Fundo Brasileiro para a Biodiversidade (FUNBIO), a nonprofit civil association focused on Brazil's biodiversity, and the International

TROPICAL FOREST | BOSQUE TROPICAL
Aboriginal woman | Mujer aborigen
Gulkula, Northern Territory | Gulkula, Territorio del Norte
Australia
AMY TOENSING/NAT GEO CREATIVE

Macushi, Carib, Warrow, Patamona, Arawak y los Wai-wai. Todas estas comunidades trabajan para la conservación de sus formas tradicionales de vida, encarando los cambios a la modernidad y empeñados en la custodia de sus tierras y los recursos naturales que han heredado de los primeros habitantes de la región, hace alrededor de 9,500 años.

En el extremo sur de Guyana, el pequeño grupo amerindio Wai-wai administra sus tierras ancestrales—625,000 hectáreas en las riberas del Río Essequibo—mediante una mezcla de gobierno y uso de recursos tradicional con métodos modernos de gestión y zonificación. Con el objeto de salvaguardar y proteger su bosque y preservar su patria ancestral, los wai-wai obtuvieron en 2004 la titularidad absoluta de sus tierras por parte del gobierno guyanés. Declararon sus tierras como Área de Conservación Comunal (ACC) para así proteger su bosque y la vida silvestre, garantizando sus recursos naturales, su cultura y su forma de vida para las generaciones venideras.

En marzo de 2015, el grupo indígena Trio de Surinam y las comunidades del pueblo Wayana declararon la creación del Corredor de Conservación Indígena que comprende 7.2 millones de hectáreas en una de las partes menos alteradas de la Amazonía, que incluye casi la mitad del territorio de Surinam. El corredor contiene uno de los bosques más prístinos e intactos del planeta, el cual es esencial para la biodiversidad del país, para la resiliencia climática y para el abasto de agua dulce, además del equilibrio vital de la Tierra. El corredor de conservación también sirve como base para la estructuración de estrategias de desarrollo verdes y es la primera iniciativa en su tipo llevada a cabo por los Pueblos Indígenas de Surinam.

En absoluto contraste con la integridad de la región del Escudo Guyanés se encuentra el sudeste de la Amazonía brasileña, un área conocida como el "cinturón de fuego", donde se está llevando a cabo la rápida deforestación, la tala para pastizales ganaderos, la expansión agrícola y la traza de carreteras con escasa o nula intervención gubernamental. Dentro del cinturón de fuego se encuentra la cuenca del Río Xingú, que comprende a varios territorios indígenas sumamente importantes, incluyendo las tierras de los kayapó que se extienden por más de 11 millones de hectáreas de bosque primario y de sabana. Más al sur se encuentra el Parque Nacional y Zona de Preservación Indígena Xingú, hogar de dieciséis tribus. La profunda relación de los kayapó con el bosque y su respeto por la naturaleza los ha llevado a una defensa encarnizada de sus bosques en contra de los intrusos, consiguiendo

Conservation Fund of Canada (ICFC), the Kayapó now have support in capacity-building, organization development, land monitoring and protection, and sustainable, forest-based economic activities.

In Ecuador, the Cofan people, with a population of approximately 1,200, are also working to preserve their culture, and protecting their territory and primary forest is integral to this objective. The Cofan, like many other Indigenous Peoples, depend on the forest and rivers for food, water, medicinal plants, shelter, and transportation. As part of their cultural preservation, they have created a cadre of community park guards who are empowered with modern technology to manage more than 430,000 hectares of intact forests, including highland páramos, cloud forests, montane and subtropical environments, and lowland tropical rain forests, wetlands, and lakes. The Cofan's strategies for community-led management and community rangers serve as models for other communities across Ecuador and throughout Amazonia.

In Canada, the boreal forest covers almost 500 million hectares, much of it still primary forest. The region encompasses intact ecosystems that feature some of the world's longest rivers, largest lakes, and most expansive wetlands. It also includes some of the world's richest terrestrial carbon stores and is home to a number of aboriginal peoples. These communities (both in Canada and Alaska) have lived within the forest environment for thousands of years, and the way they relate to and live off the resources of the land is at the heart of their societies. Relationship to the land is paramount to aboriginal culture and is reflected in customary laws, spiritual beliefs, communal organization, and how resources are allocated. As with the Kayapó and the Wai-Wai, stewardship of the land comes with responsibilities and obligations that govern individuals, families, and the collective. These customary practices and rules guide behavior with respect to resource access, use, and trade and are typically governed by territorial boundaries. More than 25 million hectares of new and interim protected areas have been set aside in the Northwest Territories of Canada as a result of leadership from the First Nations governments, which have developed sophisticated land-use plans that combine traditional knowledge and Western scientific approaches.

In 1997, Australia began a program to assist indigenous groups in the creation of Indigenous Protected Areas (IPA). The IPAs are voluntarily dedicated by indigenous groups on indigenous-owned or managed land or sea and are recognized by the Australian government

conservar su vasto territorio en excelentes condiciones a pesar de ser una población pequeña (unas siete mil personas), de lo limitado de los recursos y de las enormes presiones a las que están sujetos. Hoy, gracias a un fondo fiduciario de 8 millones de dólares proporcionado por Conservation International (CI) y por el Banco de Desarrollo Brasileño (BNDES), y desarrollado por diversas organizaciones como el Fondo Brasileño para a Biodiversidad (FUNBIO), una asociación civil sin fines de lucro orientada a la biodiversidad y por el Fondo Canadiense Internacional para la Conservación (ICFC), los kayapó ahora tienen el apoyo para la consolidación de capacidades para su desarrollo organizacional, para el monitoreo y la protección territorial, así como para el desarrollo de actividades económicas con base forestal.

En Ecuador, el pueblo Cofán con una población de alrededor de 1,200 personas están empeñados en el objetivo de preservar su cultura y su territorio y la protrección del bosque primario es esencial para lograrlo. El pueblo Cofán, como muchos otros Pueblos Indígenas, depende del bosque y de los ríos para obtener sus alimentos, agua, plantas medicinales, abrigo y transporte. Como parte de la preservación cultural cofán, ellos han creado cuadrillas de guardabosques comunitarios que cuentan con tecnologías modernas para manejar más de 430,000 hectáreas de bosque intacto, incluyendo los páramos de las tierras altas, los bosques de neblina, los bosques de montaña, ambientes subtropicales, bosques tropicales de las tierras bajas, humedales y lagos. Las estrategias de los cofán para la gestión comunitaria y el cuerpo de guardabosques comunitarios sirven de modelo a otras comunidades de Ecuador y de toda la Amazonía.

En Canadá, los bosques boreales cubren casi 500 millones de hectáreas, la mayoría en estado primario. La región comprende ecosistemas intactos que ostentan algunos de los ríos más grandes del mundo, grandes lagos y algunos de los humedales más extensos. También tienen algunos de los depósitos de carbono terrestres más ricos y albergan a un gran número de Pueblos Aborígenes. Estas comunidades (tanto en Canadá como en Alaska) han vivido en el bosque por miles de años y la manera en que se relacionan y viven de los recursos de la tierra está en el corazón mismo de sus sociedades. Para las culturas aborígenes la relación con la tierra es primordial y ello se refleja en sus leyes costumbristas, en sus creencias espirituales y en su organización comunal, así como en la manera en que distribuyen los recursos. Al igual que entre los kayapó y los wai-wai, la custodia de la tierra viene con las responsabilidades y obligaciones que gobiernan

as an important part of the National Reserve System. As well as protecting biodiversity and cultural heritage, IPAs provide employment, education, and training opportunities for indigenous people in remote areas. There are currently more than seventy dedicated Indigenous Protected Areas across 65 million hectares, accounting for more than 40 percent of the National Reserve System's total area.

In countries like Chile and Argentina, where indigenous territories are represented through "títulos de merced," or family land titles, the remaining Pehuén (araucaria or monkey puzzle tree) forest in the Southern Andes represents not only enormous beauty and wonder but is also a fundamental part of the cultural identity of the Pehuenches (one of the native peoples within the Mapuche culture). Araucaria pine nuts are also nutritious and a key component of local diets. Dating back to the Mesozoic, the Pehuén is known as a "living fossil," and its use is highly controlled. Logging is highly restricted in Argentina and forbidden in Chile, where the Pehuén is now a national monument and protected from the extensive industrial logging that occurred in the past.

Others, too, are recognizing the critical role Indigenous Peoples play in the protection of primary forests. In recent years, the World Bank has begun to address the need for Indigenous Peoples to have direct access to financial resources to support titling and management of their lands, recognizing that these populations are at the heart of efforts to sustain forests.

In 2009, the World Bank began to work with a global committee of Indigenous Peoples to negotiate direct access to funds pledged for mitigating and adapting to climate change. From this process, the Dedicated Grant Mechanism (DGM) was born, a global initiative with $80 million earmarked for the full and effective participation of Indigenous Peoples and local communities in the global effort to reduce deforestation and forest degradation.

The DGM is a special window under the Climate Investment Fund's (CIF) Forest Investment Program (FIP), and it places climate financing directly in the hands of the people who both depend on and protect forests. The World Bank created the program and finances and oversees its implementation. The FIP currently operates in Brazil, Peru, Mexico, Burkina Faso, Democratic Republic of Congo, Ghana, Indonesia, and Lao PDR, with an additional six countries approved for the second phase—Ecuador, Guatemala, Republic of Congo, Côte d'Ivoire, Mozambique, and Nepal. Through this new mechanism,

a los individuos, a las familias y a la colectividad. Estas prácticas costumbristas y las normas que rigen la conducta con respecto del acceso a los recursos, su uso y comercialización, son normalmente gobernadas territorialmente. Más de 25 millones de hectáreas de áreas protegidas nuevas y provisionales se han reservado en el Territorio Noroccidental del Canadá como resultado del liderazgo de los gobiernos de las Naciones Originarias, quienes han desarrollado sofisticados planes de uso del suelo que combinan el conocimiento tradicional y los enfoques científicos occidentales.

En 1997, Australia inició un programa de asistencia a los grupos indígenas para la creación de Áreas Indígenas Protegidas (IPA, por sus siglas en inglés). Las IPAs son territorios terrestres o marinos administrados de manera voluntaria por los grupos indígenas reconocidos por el gobierno australiano como parte importante del Sistema Nacional de Reservas. Además de proteger la biodiversidad y el patrimonio cultural, las IPAs proveen de empleo, educación y de oportunidades de entrenamiento al Pueblo Indígena en áreas remotas. Actualmente existen más de setenta Áreas Indígenas Protegidas especiales con alrededor de 65 millones de hectáreas y que constituyen más del 40 por ciento de la superficie del Sistema Nacional de Reservas.

En países como Chile y Argentina en donde los territorios indígenas están representados por "títulos de merced", o títulos familiares de propiedad, los remanentes del bosque del Pehuén (bosque de araucarias) en el Sur de los Andes, son de una belleza sorprendente, y además son parte fundamental de la identidad cultural de los pehuenches ("Pueblo del Pehuén", uno de los grupos nativos de la cultura mapuche). El piñón de la araucaria es muy nutritivo y es parte de su dieta. El pehuén es conocido como un "fósil viviente" pues data del periodo Mesozoico y su uso está muy controlado. En Argentina, su tala está muy restringida y en Chile está prohibida en donde el pehuén es considerado un monumento nacional protegido, libre de la tala industrial a la que fue sometido en el pasado.

También otras organizaciones están ahora reconociendo el papel fundamental que los Pueblos Indígenas tienen en la protección de los bosques primarios. En años recientes, el Banco Mundial empezó a encarar la necesidad de que los Pueblos Indígenas tuviesen acceso directo a recursos financieros para apoyar la titulación y gestión de sus tierras, reconociendo el hecho de que estas poblaciones están en el centro de los esfuerzos para conservar los bosques.

TEMPERATE FOREST | BOSQUE TEMPLADO
Araucaria araucana | Monkey puzzle tree | Pino araucario
Cañi Sanctuary | Santuario El Cañi
Chile

GARTH LENZ

mitigation and adaptation solutions established by forest communities will be supported, shared, and elevated to the global policy arena.

In Peru, for example, the DGM is working in partnership with communities in the Peruvian Amazon to support the enhancement of indigenous capacity and governance that support land titling and forest management of lands covering more than 20 million hectares claimed. The DGM process is managed by a national-level steering committee composed of the Interethnic Association for the Development of the Peruvian Rainforest (Asociación Interétnica de Desarrollo de la Selva Peruana) and the Confederation of Amazonian Nations of Peru (Confederación de Nacionalidades Amazónicas del Perú), two large national Amazonian indigenous organizations. They are working with the World Bank to directly develop projects proposed by the communities, with World Wildlife Fund–Peru as the executing agency.

In other areas, conservation incentives serve as innovative tools for reconciling primary forest conservation and biodiversity with the development of indigenous and local communities. These initiatives form a transparent, voluntary, and participatory alliance, in which the owners or administrators of a resource agree to protect the natural value of an area in exchange for direct, ongoing, and structured economic incentives to offset the costs of conservation. In particular, agreements specify a mutually agreed set of conservation actions, benefits, and criteria for monitoring in order to ensure transparent provision of benefits based on conservation performance.

Ecuador's Ministry of Environment (MAE) has adopted conservation incentives through the development of the Socio Bosque program. Through Socio Bosque, MAE enters into agreements with private landholders and indigenous and local communities, and provides monetary payments in return for maintaining forest cover. This program's other key objective is to address the socioeconomic situation of some of Ecuador's poorest populations. Participants in the program submit plans on how conservation payments will be spent, which encourages investment in their future and offers indigenous and local forest-dependent communities alternatives to unsustainable exploitation of their resource base.

After seven years of operations the program can be considered successful, with an investment of $22 million, the protection of nearly 1.5 million hectares, and benefits accruing to 173,000 people. Other countries such as Peru and Brazil are establishing similar incentive schemes and are learning from the Socio Bosque experience.

En 2009, el Banco Mundial empezó a trabajar con un comité global de Pueblos Indígenas en la negociación para el acceso directo a fondos ligados con la mitigación y adaptación al cambio climático. Esta experiencia dio lugar al Mecanismo de Donaciones Específicas (DGM, por sus siglas en inglés), una iniciativa global con 80 millones de dólares destinados a la participación directa y efectiva de los Pueblos Indígenas y de las comunidades locales para reducir la deforestación y degradación de los bosques.

El DGM es una ventanilla especial del CIF que trabaja con el Programa de Inversión Forestal (FIP, por sus siglas en inglés) colocando fondos para el clima directamente en manos de los pobladores que dependen de los bosques y los protegen. El Banco Mundial creó el programa, lo financia y vigila su implementación. El FIP actualmente opera en Brasil, Perú, México, Burkina Faso, en la República Democrática del Congo, en Ghana, Indonesia y en la República Democrática Popular Lao. Para la segunda fase, seis países más han sido aprobados: Ecuador, Guatemala, la República del Congo, la Costa de Marfil, Mozambique y Nepal. Es así como se participa mediante este nuevo mecanismo de soluciones para la mitigación y adaptación, apoyando y poniendo a las comunidades forestales en la arena de la política global.

En Perú, por ejemplo, el DGM trabaja en colaboración con las comunidades de la Amazonía peruana para mejorar la capacidad de gobernanza indígena de forma que se logre la titulación de tierras y el manejo de más de 20 millones de hectáreas de tierras reclamadas. El proceso del DGM es administrado por un comité directivo nacional compuesto por la Asociación Interétnica de Desarrollo de la Selva Peruana (AIDESEP) y por la Confederación de Nacionalidades Amazónicas del Perú (CONAP), dos grandes organizaciones amazónicas nacionales que trabajan con el Banco Mundial desarrollando los proyectos propuestos por las comunidades y el Fondo Mundial para la Naturaleza-Perú como organismo ejecutor.

En otras áreas, las iniciativas sirven como instrumentos innovadores que reconcilian la conservación de los bosques primarios y la biodiversidad con el desarrollo de los Pueblos Indígenas y las comunidades locales. Son iniciativas en alianza y participación transparente y voluntaria en las que los dueños o administradores de los recursos aceptan proteger los valores naturales de un área a cambio de incentivos económicos directos y estructurales de manera constante, como compensación por los costos de conservación. Estos acuerdos son específicos en cuanto a las acciones de conservación, los

As highlighted in the examples above, primary forests are home to Indigenous Peoples throughout the world and are more effectively maintained and managed when the rights of Indigenous Peoples are recognized and respected and when support is provided to enable them to manage their own lands sustainably. Fortunately, this lesson is beginning to take hold: significant progress is occurring in the way governments, conservation organizations, and donor agencies engage with Indigenous Peoples with respect to recognizing rights and developing policies and programs designed to support indigenous management. This trend is broadly reflected within United Nations agencies and conventions: in the decisions of the Convention on Biological Diversity (CBD) pertaining to traditional knowledge and customary use, the adoption of the FAO Voluntary Guidelines on Governance of Tenure, and, specifically for Indigenous Peoples, the outcomes of the UN World Conference on Indigenous Peoples, and the adoption of the United Nations Declaration on the Rights of Indigenous Peoples (UNDRIP). We are also seeing the growing recognition of the role that traditional knowledge plays in increasing community resilience and capacity to mitigate and adapt to climate change, as reflected in the Fifth Assessment Report of the Intergovernmental Panel on Climate Change (IPCC). Reflecting these developments, the 6th World Parks Congress in Sydney Australia in 2014 saw much more indigenous leadership, and the Promise of Sydney, the declaration that emerged from the Congress, clearly recognized the importance of rights-based approaches in conservation and the importance of indigenous stewardship.

In spite of all these advances, much more still needs to be done to put people at the center of the protected-area movement. Indigenous Peoples and local communities have not yet been fully recognized as equal partners in conservation efforts, and their traditional knowledge, cultural practices, and governance are not being completely harnessed in ecosystem management and forest protection. This shortfall happens mainly because of a limited understanding of indigenous, traditional, and local knowledge systems and their central role in governance and management that continues to persist in many conservation and protected-area communities and among governments and donor agencies. This limited understanding tends to manifest itself in the lack of support by governments for co-management or direct management by Indigenous Peoples and in the lack of financial resources made available to or managed by Indigenous Peoples.

beneficios y los criterios de supervisión con el objeto de garantizar la remuneración transparente basándose en el desempeño.

El Ministerio del Ambiente del Ecuador (MAE) ha adoptado incentivos para la conservación mediante la implementación del programa "Socio Bosque". A través de éste el MAE establece acuerdos con terratenientes privados, indígenas y comunidades locales para otorgar pagos de contraprestación por la conservación de bosque. Otro objetivo central del programa es el de mejorar la situación socioeconómica de una de las poblaciones más pobres de Ecuador. Los participantes del programa someten planes para el gasto de los recursos en la conservación, lo cual promueve la inversión en el futuro de las comunidades y Pueblos Indígenas dependientes del bosque, mediante alternativas a la explotación no sustentable de sus recursos.

Después de siete años de operación, el programa se puede considerar exitoso tras una inversión de 22 millones de dólares y la protección de casi 1.5 millones hectáreas, beneficiando a 173,000 personas. Otros países como Perú y Brasil están estableciendo esquemas similares aprovechando la experiencia de Socio Bosque.

Como se notó en los ejemplos anteriores, los bosques son el hogar de Pueblos Indígenas en todo el mundo y son ellos los más efectivos para su gestión y conservación cuando sus derechos son reconocidos y respetados, y cuando se les apoya con recursos para el manejo sustentable de sus tierras. Afortunadamente estas lecciones han empezado a dar sus frutos pues se ha avanzado en la manera en que los gobiernos, las organizaciones conservacionistas y las agencias de donación se están comprometiendo con los Pueblos Indígenas en torno al reconocimiento de sus derechos y al desarrollo de políticas y programas diseñados para apoyar la gestión indígena. Esta tendencia se ve reflejada de manera general en las agencias y convenciones de las Naciones Unidas, por ejemplo en las decisiones de la Convención sobre la Diversidad Biológica (CBD, por sus siglas en inglés) concernientes al conocimiento tradicional y los usos y costumbres; en la adopción de las Directrices Voluntarias sobre la Gobernanza Responsable de la Tenencia de la Tierra de la FAO y específicamente de los Pueblos Indígenas, asimismo, en los resultados de la Conferencia Mundial sobre Pueblos Indígenas de las Naciones Unidas y la adopción de la Declaración de las Naciones Unidas sobre Derechos de los Pueblos Indígenas (UNDRIP, por sus siglas en inglés). Además se ha empezado a observar un mayor reconocimiento del papel que juega el conocimiento tradicional en el fortalecimiento de la resiliencia

However, such obstacles can be overcome by recognizing the rights of Indigenous Peoples systematically, by incorporating traditional knowledge, governance systems, and conservation values into policies and decision making, by working more on capacity-building, and by providing adequate financial resources for indigenous forest protection. Momentum is building, as demonstrated by multilateral platforms, such as the Sustainable Development Goals, the CBD, and the United Nations Framework Convention on Climate Change, and even more important, by the steps taken by Indigenous Peoples themselves, as highlighted in the cases above. The time has come to ensure that these examples no longer stand as isolated achievements, but that we collectively work to ensure that practical, on-the-ground application and implementation by, for, and with Indigenous Peoples actually takes place around the world, strengthening the rights of these communities and securing the protection of their forests.

KRISTEN WALKER PAINEMILLA, VINCE MCELHINNEY, JOHNSON CERDA, BRENDAN MACKEY, RUSSELL A. MITTERMEIER, and SUSAN STONE

TROPICAL FOREST | BOSQUE TROPICAL
Mbuti hunter | Cazador mbuti
Ituri Forest | Bosque de Ituri
Democratic Republic of the Congo | República Democrática del Congo
RANDY OLSON/NAT GEO CREATIVE

comunitaria y en su capacidad para mitigar y adaptarse al cambio climático, como se ve reflejado en el Quinto Informe de Evaluación del Panel Intergubernamental sobre Cambio Climático (IPCC, por sus siglas en inglés). De forma paralela, en el Sexto Congreso Mundial de Parques en Australia en 2014 se observó un mayor liderazgo indígena y en la declaración que surgió del congreso, conocida como la Promesa de Sídney, se reconoce claramente la importancia del reconocimiento de los derechos y la rectoría indígenas para la conservación.

A pesar de todos estos avances aún se necesita hacer mucho para poner a la gente en el centro del movimiento de áreas protegidas. Los Pueblos Indígenas y las comunidades aún no gozan del reconocimiento como socios igualitarios en los esfuerzos de conservación, y su conocimiento tradicional, prácticas culturales y gobernanza aún no son cabalmente aprovechados para la gestión de los ecosistemas y para la protección forestal. Estas deficiencias ocurren debido al escaso entendimiento que persiste entre las comunidades, los gobiernos y las agencias donantes en torno a los sistemas de conocimiento tradicional indígena y del papel central que juegan en la gobernanza y gestión. Esta falta de entendimiento tiende a manifestarse en la falta de apoyo de los gobiernos para la gestión conjunta o directa por parte de los Pueblos Indígenas y en la ausencia de acceso a recursos financieros.

Sin embargo, estos obstáculos pueden superarse mediante el reconocimiento sistemático de los Pueblos Indígenas, la incorporación del conocimiento tradicional y de los sistemas de gobierno y los valores de la conservación en las políticas y procesos de toma de decisiones. Asimismo, es necesario trabajar en la capacitación y el suministro adecuado de recursos financieros para la protección indígena de los bosques. Ya existe un nuevo impulso, como se demostró en la plataforma multilateral de la CBD sobre los Objetivos del Desarrollo Sostenible y en la Convención Marco de las Naciones Unidas sobre el Cambio Climático, e incluso más importante aún por los avances de los Pueblos Indígenas mismos, ejemplificado por los casos mencionados anteriormente. Ha llegado el momento de que estos logros no sean eventos aislados y que se trabaje de manera colectiva para asegurar que los Pueblos Indígenas lleven a cabo la implementación en campo fortaleciendo los derechos de las comunidades, garantizando la protección de sus bosques en todo el mundo.

KRISTEN WALKER PAINEMILLA, VINCE MCELHINNEY, JOHNSON CERDA, BRENDAN MACKEY, RUSSELL A. MITTERMEIER y SUSAN STONE

4 The Remaining Primary Forests: Status and Prospects
Los Bosques Primarios Remanentes: Estado y Amenazas

FORESTS COVER some 4 billion hectares worldwide, about one-third of the terrestrial surface of the planet. At the broadest level, three vast biomes can be distinguished: boreal, temperate, and tropical forests. These three major biomes show pronounced differences in terms of their ecology, history, status, and conservation prospects, but face a similar range of threats throughout the world. This chapter offers an overview of the forest biomes and their threats, with a focus on the remaining primary forests.

One of the greatest and most visible human imprints on the Earth's surface has been the conversion of forests to agricultural land. The picture becomes even more dramatic when degradation and impoverishment of the many values and services of Earth's primary forests are considered in conjunction with deforestation. What technically or legally may still fit under the definition of "forest" is in many cases little more than a shadow of past primary forests in terms of diversity, resilience, biodiversity, and other functions and services.

It is not widely known that much of the industrialized world has experienced a net gain of forest cover since the late 1800s, mostly as a result of a rural exodus and urbanization caused mainly by the mechanization and subsequent industrialization of agriculture. This overall trend applies, in particular, to large expanses of temperate forests. However, this trend disguises the fact that most primary

TROPICAL FOREST | BOSQUE TROPICAL
Protected Brazil nut tree (*Bertholletia excelsa*) on soya farm |
Árbol de nuez de Brasil (protegido) (*Bertholletia excelsa*) en plantación de soya
Brazil | Brasil
CHRIS LINDER

LOS BOSQUES CUBREN cerca de una tercera parte de la superficie terrestre del planeta, alrededor de 4,000 millones de hectáreas en todo el mundo. De manera muy general se pueden distinguir tres grandes biomas boscosos: los bosques boreales, los templados y los tropicales. Aunque los tres enfrentan un rango similar de amenazas en todo el mundo, estos tres biomas muestran diferencias marcadas en términos de su ecología, su historia, el estado que guardan y sus perspectivas de conservación. El presente capítulo ofrece una panorámica de los biomas forestales y las amenazas que enfrentan con un enfoque en los bosques primarios remanentes.

Una de las huellas humanas más grandes y más visibles sobre la superficie de la Tierra es la conversión de los bosques a tierras arables. Las imágenes son aún más dramáticas cuando junto con la deforestación, se toma en cuenta la degradación y el empobrecimiento de los valores y servicios de los bosques primarios. Lo que ahora técnica o legalmente aún es considerado un "bosque", en muchos casos no es más que una sombra de lo que un bosque primario fuera en términos de diversidad, resiliencia, biodiversidad y otras funciones y servicios.

Desde finales del Siglo Diecinueve el mundo industrializado ha experimentado una ganancia neta en su cubierta forestal. Este hecho, poco conocido, es resultado principalmente del éxodo rural y de la urbanización causada por la subsecuente mecanización e industrialización de la agricultura. Esta tendencia aplica principalmente a las grandes extensiones de bosques templados. Los bosques templados que aún subsisten siguen siendo convertidos, degradados o reemplazados por bosques naturalmente regenerados o reforestados,

temperate forests have been lost, and the remnants continue to be converted, degraded, or replaced by naturally regenerating or planted forests that are not comparable to the original forest cover and will not be for a very long time, if ever, and in particular with respect to their biodiversity. Even today, the last remnants of ancient temperate forests, for example in the Romanian Carpathians, are under attack from illegal logging. It is estimated that less than 5 percent of the planet's original temperate primary forest cover remains.

In terms of land use dynamics, the situation in many tropical forests differs fundamentally from temperate lands. The "agricultural frontier" continues to advance quickly across most of the tropics, and primary forests continue to be opened up, logged, and burned on a daily basis. With the exception of some of the southern edges and transitions into the temperate forest biome, boreal forests are not competing with agriculture. Wholesale losses occur mainly as a result of large-scale gas and oil development and hydropower schemes, such as in northern Canada. Forestry also strongly impacts slow-growing boreal forests in many ways. While timber extraction in the boreal does not tend to induce or initiate a fundamental change in vegetation cover or land use, it is known to lead to degradation, for example by removing old trees, reducing structural complexity, and selectively promoting commercial species. Also, the improved access facilitated by increasing logging operations can have the same "door-opener" effect in remote areas that is so well documented for tropical forests. Many scientists also anticipate that climate change will drastically alter the structure and composition of boreal forests in the not-too-distant future.

Despite these distinctions by biome, global primary forest loss and degradation is linked to the same key drivers: population growth, economic growth, consumption patterns, land pricing, and demand for agricultural commodities, timber, and other forest products. Other key drivers include the insecurity of the rights of local communities and Indigenous Peoples, insufficient consideration of both the benefits of primary forests, and the costs of their loss and degradation. However, these underlying drivers manifest themselves in quite different forms according to forest biome.

THE BOREAL FOREST BIOME

Named after Boreas, god of the north wind in Greek mythology, the circumpolar boreal forests constitute the world's largest forest biome. In fact, they are the most extensive of any terrestrial biome—forest

que no son comparables con la cubierta forestal original y que no lo serán por mucho tiempo o probablemente nunca, en particular con respecto a su biodiversidad. Incluso hoy en día, los últimos remanentes de los ancestrales bosques templados como por ejemplo los Cárpatos rumanos, están siendo devastados por la tala ilegal. Se estima en menos del cinco por ciento lo que resta de los bosques templados originales del planeta.

En cuanto a la dinámica de uso del suelo, la situación que ocurre en muchos bosques tropicales difiere fundamentalmente a las tierras templadas. En todos los trópicos, la "frontera agrícola" sigue avanzando con rapidez y el bosque primario sigue siendo clareado, talado y quemado día con día. Con la excepción de algunos frentes en el sur y sus zonas de transición con el bioma de bosque templado, los bosques boreales no compiten con la agricultura. Las mayores pérdidas tienen lugar como resultado de las operaciones de extracción de gas y petróleo o desarrollos hidroeléctricos, como sucede en el norte de Canadá. La industria maderera también está afectando al bosque boreal de crecimiento lento de muchas formas. Mientras que en el bosque boreal la extracción de madera no parece inducir ni iniciar un cambio fundamental en la cubierta vegetal o del uso del suelo, se sabe que conduce a su degradación. Por ejemplo, al remover los árboles más viejos se reduce la complejidad estructural y se está selectivamente promoviendo el crecimiento de las especies comerciales. De igual manera, la traza de caminos para las operaciones de tala facilita el acceso a los sitios más remotos generando el efecto de "puertas abiertas", que está bien documentado para los bosques tropicales. Muchos científicos también anticipan que el cambio climático transformará dramáticamente la estructura y composición de los bosques boreales en un futuro no muy lejano.

A pesar de las diferencias entre biomas, la pérdida y degradación global de los bosques primarios se debe a los mismos factores clave: el crecimiento poblacional, el crecimiento económico, los patrones de consumo, los precios de la tierra y la demanda de productos agrícolas básicos como la madera y otros productos forestales. Otros factores incluyen la incertidumbre de los derechos de las comunidades locales y de los Pueblos Indígenas, así como la falta de reconocimiento de los beneficios que brindan los bosques primarios, o en su caso, los costos por su pérdida o degradación. No obstante, estos factores se manifiestan de diferente manera y de acuerdo al bioma forestal de que se trate.

or non-forest. This biome includes the world's largest contiguous forest, the Russian taiga, and extends across vast stretches of North America and Northern Eurasia. Because of the Bering land bridge that connected the two continents during the last Ice Age until some 10,000 years ago, the ecosystems, including their flora and fauna, share striking similarities across the "boreal belt" of the Northern Hemisphere. The taiga is found roughly between 50 and 60 degrees northern latitudes, sometimes extending even further north where it transitions into the tundra. Some two-thirds of the forest biome are located in Siberia, and the remainder is shared by Alaska and Canada, with smaller but important expanses in Scandinavia, Central Asia, and Mongolia. The boreal forest has been and continues to be home to numerous Indigenous Peoples across Eurasia and North America. Reindeer herding (in parts of Eurasia), hunting, fishing, and gathering of the many non-timber forest products continue to be of critical importance to their livelihood and culture.

The boreal forest tends to be dominated by conifers, such as pine, fir, larch, and spruce, while deciduous trees like birch, willow, and poplar have fundamental roles as "pioneers" in the natural cycles of the forest. Across the entire boreal belt, the fauna shares remarkable similarities, as seen in the large predators, such as brown bear, wolf, lynx, and the elusive wolverine that are found throughout the biome unless hunted to extinction. Boreal forests show pronounced seasons, in particular, short, moist, and moderately warm summers and long, cold, and dry winters. Consequently, these forests have a short growing season. They typically grow on poor acidic soils and are faced with limited precipitation and permafrost, all of which limits or at least slows their capacity to recover from natural or human disturbance. Nevertheless, boreal forests are well-adapted to large-scale disturbance, in particular to fires. In addition to diverse site conditions, frequent fires are one of the reasons why the seemingly homogeneous boreal forest in fact consists of a complex patchwork of areas in different stages of the natural regeneration cycles. While boreal forests are more resilient than the short vegetation period and harsh environmental conditions might suggest, it is important to remember that regeneration is extremely slow and that anticipated climate change is likely to affect resilience.

Superficially, the natural values of boreal forests may seem less striking than, for example, those of a lush tropical forest. Yet, the boreal forests harbor the full range of conservation values and services of forests. They are vitally important for many Indigenous Peoples, and

EL BIOMA BOSQUE BOREAL

Nombrado en honor al Dios de de los vientos fríos del norte en la mitología griega, Bóreas, el bosque circumpolar boreal constituye el mayor bioma del mundo. Es, de hecho el bioma más extenso—forestal o no forestal. Este bioma comprende el bosque ininterrumpido más extenso del mundo: la taiga rusa, que se extiende por grandes regiones en América del Norte y Eurasia septentrional. Gracias a que durante la última glaciación, hace aproximadamente unos 10,000 años, existió comunicación por el Estrecho de Bering, los ecosistemas—flora y fauna—comparten similitudes sorprendentes a todo lo largo del "cinturón boreal" del hemisferio norte. La taiga se encuentra entre los 50 y 60 grados Latitud Norte, extendiéndose en ocasiones incluso más al norte, donde trascisiona a la tundra. Dos terceras partes del bioma se encuentran en Siberia y el resto se distribuye entre Alaska y Canadá, con algunas importantes ramificaciones de menor tamaño en Escandinavia, Asia Central y Mongolia. El bosque boreal ha sido y seguirá siendo el hogar de gran cantidad de Pueblos Indígenas de toda Eurasia y América del Norte. El pastoreo del reno (algunas partes de Eurasia), la cacería, la pesca y la recolección de productos forestales no maderables siguen siendo de importancia vital para las culturas del bosque boreal y su subsistencia.

En los bosques boreales predominan las coníferas como el pino, el abeto y los alerces, mientras que los árboles caducifolios como el abedul, los sauces y álamos juegan un papel fundamental como "pioneros" en el ciclo natural del bosque. En todo el cinturón boreal, la fauna muestra también similitudes notables, como puede verse en el caso de los grandes depredadores como el oso pardo, el lobo, el lince y el elusivo glotón, al que se le encuentra en todo el bioma excepto donde se le ha cazado hasta extinguirlo. Los bosques boreales presentan estaciones bien marcadas, en particular los veranos cortos, húmedos y cálidos, e inviernos largos, secos y fríos. Consecuentemente, estos bosques tienen periodos de crecimiento corto. Allí predominan los suelos ácidos y los árboles crecen en el permafrost con precipitaciones limitadas, lo cual reduce su capacidad de recobrarse de las perturbaciones naturales o las causadas por los humanos. A pesar de lo anterior, los bosques boreales están bien adaptados a las perturbaciones de gran escala, en particular a los incendios. Además de las variadas condiciones de cada sitio, los recurrentes incendios forestales son una de las razones por las que la homogeneidad aparente de los bosques es en realidad un complejo arreglo de áreas en diferentes estados del ciclo natural de

BOREAL FOREST | BOSQUE BOREAL
Sarek National Park, Norrbotten |
Parque Nacional de Sarek, Norrbotten
Sweden | Suecia
ORSOLYA HAARBERG/NAT GEO CREATIVE

provide crucial wildlife habitats, including for massive aggregations of caribou and countless bird species, many of which are migratory. It is less known that boreal forests store enormous quantities of carbon, possibly more than the temperate and tropical forests combined, much of it in peatland.

Boreal forests have long become a major source of industrial roundwood. Intensive logging is widespread in Scandinavia, Canada, and the Russian Federation, and to a smaller degree in Alaska. Along with mineral extraction and hydropower development, the increasing logging pressure has led to both major conservation concerns and conflicts with Indigenous Peoples whose livelihoods and culture depend on temperate forests and the adjacent tundra.

As can be expected, human impacts and threats tend to be higher toward the southern edge of the biome, where it transitions into the heavily transformed temperate forest biome. The majority of the remaining intact primary boreal forests tends to be located in rugged areas of the far north beyond the limits of past economic accessibility. Many observers consider resource extraction, including logging and, in particular, oil and gas extraction, major threats to the boreal biome today, as vast deposits are found in Alaska, Canada, and the Russian Federation under these forests. Based on previous experience with prospecting and extraction in the boreal forests, it is clear that large-scale exploration and exploitation of these reserves would massively affect the biome and its inhabitants.

Large remote areas have also been flooded as part of massive hydroelectric schemes, such as in northern Quebec. Both legal and illegal logging continues to be a threat across the global boreal belt. The predicted consequences of climate change, observable already, include the shifting of the belt, which is expected to result in the conversion of the southern edges of the biome. It is likely that vast amounts of greenhouse gases will be emitted from warming soils, while carbon stored in living biomass might increase. Furthermore, the boreal forest absorbs a much higher proportion of solar radiation than its neighbor to the north, the tundra. Accordingly, there is concern that an expansion of the boreal forest to the north at the expense of tundra vegetation would contribute to amplifying climate change.

THE TEMPERATE FOREST BIOME

The temperate forest biome encompasses broadleaf, conifer, and mixed forests, rare temperate rain forests in a few coastal zones around the

regeneración. Mientras que los bosques boreales son aparentemente más resilientes por sus periodos vegetativos cortos y las condiciones ambientales adversas, es importante recordar que su regeneración es extremadamente lenta y que el cambio climático que se anticipa seguramente afectará su resiliencia.

De manera superficial pareciera que los valores naturales del bosque boreal fueran menos impresionantes que por ejemplo, los del exuberante bosque tropical. Sin embargo, los bosques boreales albergan una vasta gama de valores de conservación y de servicios forestales. Son de vital importancia para numerosos Pueblos Indígenas y proveen hábitat vital para muchas especies salvajes, incluyendo las enormes congregaciones de caribúes e incontables especies de aves, muchas de las cuales son migratorias. Menos conocido es el hecho de que el bosque boreal almacena enormes cantidades de carbono, posiblemente aún más que los bosques templados y tropicales juntos, particularmente en las turberas.

Desde hace mucho tiempo los bosques boreales se convirtieron en la mayor fuente de madera industrial en rollo. La tala industrial se practica de manera intensiva en Escandinavia, Canadá y en la Federación Rusa y en menor grado en Alaska. La presión de la tala industrial junto con la extracción de minerales y la generación hidroeléctrica han traído problemas de conservación y conflictos con los Pueblos Indígenas, cuyos medios de supervivencia y cultura dependen del bosque templado y de la tundra.

Como es de esperarse, los impactos y amenazas antropogénicas tienden a ser mayores en el margen sur del bioma en donde transiciona a un bioma forestal sumamente transformado. La mayoría de los remanentes intactos del bosque primario tienden a localizarse en las áreas escarpadas más septentrionales, más allá de los límites históricos de accesibilidad económica. Muchos observadores consideran la actual extracción de recursos, incluyendo la tala y en particular la extracción de gas y petróleo como las mayores amenazas para el bioma boreal, ya que existen grandes depósitos de estos recursos bajo los bosques boreales de Alaska, Canadá y de la Federación Rusa. Tomando en consideración las experiencias previas sobre prospección y extracción en los bosques boreales, es claro que la exploración y la explotación de estas reservas afectan de manera considerable al bioma y sus habitantes.

Muchas áreas remotas han sido inundadas como parte de los esquemas de generación hidroeléctrica, como en el caso del norte de

world, and Mediterranean forests along the Mediterranean and other comparable climate zones, for example in Chile and California.

Historically, the highest deforestation rates occurred first in the temperate forests of Eurasia and North America. Therefore, temperate forests remain only in a patchy distribution across the United States, Europe, and the Asian mid-latitudes when compared to its historic distribution. The process of large-scale conversion for agriculture has come to an end, and there has been an overall trend of reversal in terms of total surface area for decades. Despite this quantitative regrowth, only scattered remnants of original temperate forests remain. Outstanding examples with important expanses of primary temperate forests include the Valdivian Forests of Chile and Argentina, the lesser-known Caspian Forests of Iran and Azerbaijan, and the Manchurian Mixed Forests. Fascinating and irreplaceable temperate rain forests cover the northwestern coast of North America from northern California to southern Alaska, and parts of the coast of southern Chile, New Zealand, and Australia. Many have been strongly affected by logging, and many continue to be threatened, but there are also recent success stories in which important remnants of primary temperate rain forests have been saved from logging interests. Sadly, even when protected, the last fragments in Europe are not immune to wholesale destruction. Some of the most valuable forests in the Carpathians have recently been illegally logged, including in Romania, a member of the European Union.

Beyond logging, the tangible threats to the remaining primary or at least ancient temperate forests vary according to region. For example, very high densities of roe deer prevent natural forest regeneration in parts of Central Europe. Many of the Mediterranean forests suffer from excessive grazing by goats and sheep. The forests of the Southern Caucasus are the main source of energy for most of the population in Armenia and Georgia, with locally devastating effects on forests.

Now is the last chance to secure what is left of the primary forests within a large-scale biome that has been reduced and modified like few others.

THE TROPICAL FOREST BIOME

For the purpose of this book, tropical forests are understood as forests and other woodlands that are composed of indigenous trees and that occur between the latitude lines of the Tropic of Cancer and the Tropic of Capricorn and include adjacent areas. For our purposes, tropical forests encompass the vast and extremely diverse range

Quebec. La tala legal e ilegal continúa siendo una amenaza en todo el cinturón boreal del planeta. Las predicciones del cambio climático ya evidentes hoy día, incluyen la transformación del cinturón trayendo la conversión de los límites meridionales del bioma. Es muy probable que se produzca la emisión de una enorme cantidad de gases de efecto invernadero por el calentamiento de los suelos, incrementándose el carbono almacenado en la biomasa viviente. Más aún, los bosques boreales absorben una mayor proporción de radiación solar que su vecino del norte, la tundra. Es por ello que existe preocupación porque la expansión del bosque boreal hacia el norte a expensas de la vegetación de la tundra contribuirá a potenciar el cambio climático.

EL BIOMA BOSQUE TEMPLADO

El bioma bosque templado comprende a coníferas, malezas de hoja ancha, los bosques mixtos y los bosques templados lluviosos que se presentan en unas cuantas zonas costeras por todo el mundo, así como los bosques mediterráneos y zonas climáticas similares, como por ejemplo en Chile y en California.

Históricamente los más altos niveles de deforestación ocurrieron primero en los bosques templados de Eurasia y de América del Norte. Por tanto, los bosques templados remanentes se encuentran en pequeños bloques esparcidos en los Estados Unidos, Europa y en algunas latitudes medias de Asia. Lo que resta no se compara a lo que fue su distribución histórica. Con el fin de los procesos de conversión a tierras agrícolas en las últimas décadas, ha habido una tendencia a revertir la cobertura boscosa. A pesar de este rebrote, solo quedan algunos remanentes dispersos de lo que fuera el bosque templado original. Ejemplos extraordinarios de éstos son las selvas Valdivianas de Chile y Argentina, y otros menos conocidos como el bosque mixto hircano del Caspio en Irán y Azerbaiyán, o el bosque mixto de Manchuria. En Norteamérica, la fascinante e irreemplazable cubierta de bosques templados lluviosos que va de la costa norte de California hasta Alaska y en algunas partes de la costa sur de Chile, Nueva Zelandia y en Australia. Muchos de estos remanentes han sido afectados de manera severa por la industria maderera y muchos de ellos continúan siendo amenazados por estos intereses. Tristemente, incluso estando protegidos, los últimos fragmentos de los bosques europeos no son inmunes a su devastación total. Algunos de los bosques más valiosos en los Cárpatos ya han sido talados ilegalmente, incluso en Rumanía que es miembro de la Unión Europea.

TEMPERATE FOREST | BOSQUE TEMPLADO
Clear-cut logging | Deforestación por tala total
Vancouver Island, British Columbia |
Isla de Vancouver, Columbia Británica
Canada | Canadá
GARTH LENZ

of forest types located in the tropics and subtropics, which include moist broadleaf forest but also dry broadleaf, mixed, and conifer forests. Other less visible but similarly important tropical forest types encompass the immense variety of deciduous and semi-deciduous dry forests, rare cloud and elfin forests, mangroves, and transitions from forests and woodlands to tropical grasslands. The largest expanses of tropical forest are found in Amazonia and the Congo Forest, in parts of Southeast Asia, and on New Guinea. Concretely, tropical forests are mostly distributed across South and Central America, West and Central Africa, Asia, and Oceania. While acknowledging definitional challenges, as well as the limits and uneven distribution of available data, it is estimated that there are around 1.2 billion hectares of closed tropical forest worldwide. Roughly one-half is located in South America (some 600 million hectares), followed by Africa with some 275 million hectares, and Asia with some 220 million hectares. The remainder is distributed across Oceania and North and Central America.

Global estimates of the extent of tropical forest cover are methodologically complex, starting with the definition of what constitutes "forest," challenging distinctions between forest types and inconsistent quantity and quality of data. Moreover, important data sets are not independently sourced or verified, and major discrepancies and uncertainties are therefore common. Nevertheless, the above numbers provide a useful indication of the surface areas under consideration and their geographic distribution for the purposes of this book. The available data also illustrate that vast expanses of tropical forest continue to exist despite considerable tropical forest loss over the last decades.

Tropical forests have been a main target of global nature conservation efforts for decades due to their extraordinary values, both the intrinsic value because of the benefits they provide to human well-being from local to global levels, and due to the unprecedented pressures they are facing. Existing resource conflicts in tropical forests will almost certainly become more acute in the twenty-first century as human pressures increase, but hopefully the tendency to sacrifice irreplaceable tropical primary forests for short-term gain will give way to a longer-term approach.

Tropical moist forests have attracted particular attention and external support in the form of bilateral and multilateral cooperation by civil society, but have also received media attention and public concern. The tropics, and in particular primary tropical forests, harbor a disproportionately large share of global terrestrial biodiversity.

Además de la tala, las amenazas tangibles para los antiguos bosques templados primarios remanentes varían de acuerdo a la región. Por ejemplo en Europa Central las altas densidades de corzos están evitando la regeneración natural del bosque. En el Mediterráneo, los bosques sufren del pastoreo excesivo de borregos y cabras, y el bosque del Cáucaso meridional sufre efectos devastadores por la tala para leña, pues es la principal fuente de energía para la mayor parte de la población de Armenia y Georgia.

Todavía tenemos una última oportunidad de asegurar lo que resta de este bioma de bosque primario, que como pocos ha sido arrasado y modificado.

EL BIOMA BOSQUE TROPICAL

Para el propósito del presente volumen, entendemos por bosque tropical a las selvas y otras zonas boscosas compuestas por árboles nativos que se encuentran entre las latitudes de los Trópicos de Cáncer y de Capricornio y regiones adyacentes. Para nuestros propósitos, los bosques tropicales comprenden un rango enorme y extremadamente diverso de tipos de bosque localizados en las zonas tropicales y subtropicales y que incluyen no sólo a la selva húmeda y la seca de hoja ancha, sino también al bosque de coníferas. Otro tipo de bosque menos visible pero de igual importancia, incluye a una inmensa variedad de bosques secos caducifolios y semi-caducifolios, a los raros bosques nublados y a los bosques enanos, los manglares y las zonas de transición boscosas y selváticas, así como los pastizales tropicales. Las zonas de bosque tropical más extensas se encuentran en la Amazonía y en el Congo, en algunas partes del Sureste Asiático y en Nueva Guinea. En concreto, los bosques tropicales se encuentran principalmente distribuidos en el sur y centro del continente americano, en África Occidental y Central, en Asia y Oceanía. Teniendo en consideración la limitada caracterización y la falta de información, se puede estimar que existen alrededor de 1,200 millones de hectáreas de bosque tropical denso en todo el mundo. Casi la mitad se encuentran en Sudamérica (unos 600 millones de hectáreas), seguido por África que tiene unas 275 millones de hectáreas y Asia, con alrededor de 220 millones de hectáreas. El resto se encuentra distribuido en Oceanía y en el norte y centro de América.

Las estimaciones globales de la cubierta boscosa tropical son metodológicamente complejas, empezando por la propia definición de lo que constituye el "bosque" y por las diferenciaciones entre

Estimates for primary moist tropical forests alone suggest that they harbor two-thirds or more of terrestrial biodiversity despite occupying only some 7 percent of the Earth's land surface. Studies have recorded several hundreds of tree species in one single hectare of a neotropical humid forest, many more than the entire boreal forest belt. One extraordinary example is the forested transition between the Western Amazon and the Tropical Eastern Andes, which is the most biodiverse terrestrial area of the planet. The world's major blocks of tropical forest, the Neotropics, including Amazonia, the Congo Forests of Central Africa, and the forests of South and Southeast Asia, including New Guinea, the world's second largest island, are of outstanding global conservation significance due to their high biodiversity. Parts of Amazonia, the Congo Forests, and New Guinea continue to be noteworthy for their relative intactness.

While tropical forests are unanimously recognized as the most diverse terrestrial ecosystems, the vast majority of species have yet to be described scientifically, let alone understood in terms of their dynamics and interaction with other elements of the ecosystem of which they are a part. Vertebrates—and even numerous primate species—continue to be scientifically discovered. The wide range of estimates of the overall species richness of tropical forests epitomizes the limits of our scientific understanding of tropical forest biodiversity and ecology to this day.

Large-scale deforestation in the tropics is a relatively recent phenomenon that has significantly increased only in the second half of the twentieth century. According to the Food and Agriculture Organization of the United Nations (FAO), the global rate of deforestation has been decreasing from some 16 million hectares per year in the 1990s to around 13 million hectares per year in the subsequent decade, but remains "alarmingly high" at 5.5 million hectares per year between 2010 and 2015, and considerably higher according to estimates based on satellite imagery. Even though it is remarkable that a global study concluded that the loss of the "less visible" boreal forests exceeded the loss of tropical forests in an assessed period from 2000 to 2005, recent FAO data suggests that the bulk of contemporary deforestation occurs in the tropics, with South America and Africa reporting the highest net losses. Many have pointed out that terms such as "net loss" or "net deforestation" need to be used with caution, similar to "zero deforestation" and "gross deforestation." Such terms are far from clear despite increasingly

tipos de bosque y la inconsistente calidad y cantidad de información disponible. Más aún, predominan importantes bases de datos que no son verificables o que no provienen de fuentes independientes, en las que son comunes la incertidumbre y las fuertes discrepancias. Con todo y lo anterior, para los objetivos de este libro los datos proporcionan una indicación tanto sobre superficie como distribución geográfica. La información disponible indica la existencia de una vasta extensión continua de bosque tropical, a pesar de la considerable pérdida observada durante las últimas décadas.

Los bosques tropicales han sido objeto de importantes esfuerzos de conservación por muchas décadas debido a sus extraordinarios valores intrínsecos, por su asombrosa biodiversidad y por los beneficios que proporcionan al bienestar humano a nivel local y global. Asimismo, por las inusitadas presiones a las que se están sujetos, es esperable que los conflictos por los recursos en estos bosques se agudicen en el Siglo Veintiuno, en la medida en que la presión humana se incremente, aunque sería deseable que la actual tendencia a sacrificar los bosques tropicales primarios por ganancias de corto plazo diera lugar a una visión de mayor alcance.

Los bosques tropicales húmedos han logrado atraer la atención y el apoyo de la sociedad civil en forma de cooperación bilateral y multilateral, además del interés y la atención pública y mediática. Las zonas tropicales y en particular el bosque primario albergan una cantidad considerable de la biodiversidad mundial y se estima que solamente el bosque húmedo tropical es el hogar de más de dos terceras partes de la biodiversidad terrestre a pesar de ocupar solamente el 7 por ciento de la superficie de la Tierra. Estudios recientes registraron varios cientos de especies arbóreas en una sola hectárea de bosque húmedo neotropical, muchas más que el cinturón boreal completo. Un ejemplo extraordinario es la zona de transición boscosa entre el oeste de Amazonía y los Andes tropicales del sur que es la región de mayor biodiversidad de todo el planeta. Los bloques de bosque tropical más grandes del planeta incluyen a la Amazonía, el Bosque del Congo en África Central, y a los bosques del sur y sureste de Asia, incluyendo a Nueva Guinea, la segunda isla de mayor extensión. Los Neotrópicos son regiones de una extraordinaria importancia de conservación a nivel global debido a su elevada biodiversidad y a algunas partes de la Amazonía, del Bosque del Congo y de Nueva Guinea siguen siendo notables por su relativa integridad.

common use in policy and private-sector slogans and targets. "Net" data may conceal critical information from a nature conservation perspective because available data is typically restricted to forest cover, regardless of conservation status and primary forest values. The comparison of regional data also disguises relative trends and the much more nuanced picture within regions, in particular in Asia. For example, the smaller absolute area of forest loss in tropical Asia is primarily a function of the smaller overall size. When looking at trends, however, the relative loss (deforestation rate) in Asia is the highest of any major region. One study estimated the rate to be roughly twice the rate of South America and Africa, with half the countries already having experienced very severe forest loss and the remaining forest-rich countries, Indonesia and Malaysia, undergoing rapid change.

While deforestation in the sense of a permanent change in vegetation cover and land use is the most obvious form of change affecting tropical forests, there is equally serious concern about the numerous and complex consequences of fragmentation and the many forms of direct and indirect forest degradation.

Global efforts to better understand and respond to the scale of forest fragmentation include an alliance of non-governmental organizations (NGOs) working on Intact Forest Landscapes (IFL) and emerging efforts to position primary forests in line with their significance. Building upon earlier efforts by the World Resources Institute on what at the time was called "Frontier Forest," an IFL is defined as an "unbroken expanse of natural ecosystems within the zone of current forest extent, showing no signs of significant human activity and large enough that all native biodiversity, including viable populations of wide-ranging species, could be maintained." Global analysis suggests that the world's remaining IFLs are today in essence restricted to tropical and boreal forests. Moreover, many countries have lost IFLs altogether, as their primary forest is being fragmented and degraded, and in a high number of countries with IFLs they are insufficiently protected. What this remarkable degree of fragmentation and degradation means in terms of services, functions, values, and also to the resilience of the forest ecosystem and the dependent species, remains to be fully understood. Yet, the importance of the vulnerable last major primary forests must not take away from the importance of smaller areas of primary forest, which are still highly valuable for biodiversity in otherwise degraded and cleared landscapes.

As detailed in chapter two on biodiversity and ecosystem services,

Mientras que los bosques tropicales son unánimemente reconocidos como los ecosistemas terrestres más diversos, la gran mayoría de las especies aún no han sido científicamente registradas y menos aún se les ha comprendido en términos de sus dinámicas e interacciones con otros elementos del ecosistema del que forman parte. Los vertebrados—e incluso muchas especies de primates— aún no han sido clasificados científicamente y una gran cantidad de estimaciones de la riqueza predominante de los trópicos pone en evidencia los límites actuales de nuestra comprensión científica sobre la biodiversidad y la ecología del bosque tropical.

La deforestación de los trópicos es un fenómeno relativamente reciente que se incrementó significativamente en la segunda mitad del Siglo Veinte. De acuerdo a la Organización de las Naciones Unidas para la Agricultura y la Alimentación (FAO, por sus siglas en inglés), la tasa global de deforestación se ha venido reduciendo de 16 millones de hectáreas por año en 1990, a cerca de 13 millones de hectáreas por año durante la década subsecuente, aunque continúa siendo "alarmantemente alta", en 5.5 millones de hectáreas por año entre 2010 y 2015. Aunque de acuerdo a otras estimaciones basadas en el análisis de imágenes de satélite la tasa es considerablemente mayor. A pesar de que un estudio global ha concluido que la pérdida de los bosques boreales "menos visibles" fue mayor que para los bosques tropicales para el periodo de 2000 al 2005, información reciente de la FAO sugiere que el grueso de la deforestación actual tiene lugar en los trópicos, en donde Sudamérica y África reportan las pérdidas netas más elevadas. Muchos han señalado que los términos de "pérdida neta" o "deforestación neta" deben ser tomados con reserva, lo mismo que "cero deforestación" o "deforestación bruta". Estos términos están lejos de ser claros a pesar de su creciente uso en el diseño de políticas y en las consignas y objetivos de la iniciativa privada. Datos "netos" pueden encubrir información vital desde la perspectiva de la conservación de la naturaleza porque la información disponible se restringe comúnmente a la cubierta boscosa, independientemente del estado de conservación y de los valores del bosque primario. Comparando información regional se distinguen tendencias y las diferencias entre regiones de manera más matizada, particularmente en Asia. Por ejemplo, la perdida absoluta de área boscosa en Asia tropical es una función del menor tamaño total. No obstante, cuando se analizan las tendencias, la perdida relativa (tasa de deforestación) en Asia es mayor que la de cualquier otra región más extensa. Un

defaunation, or the loss of wildlife species and populations, as well as local declines in abundance of individuals, is an under-recognized form of degradation of primary forests. Defaunation is often caused by hunting, poaching, and wildlife trade, and the more severe cases can result in what is often referred to as "empty forest syndrome," where the large majority of the wildlife has been removed. It is now clear that the loss or considerably reduced abundance of species, often by hunting, poaching, or wildlife trade, can fundamentally alter the composition and functioning of forests and other ecosystems, thereby impacting ecosystem functioning and human well-being. While acknowledging that many question marks remain in terms of the complex consequences of defaunation, there can be no doubt that forests can be biologically and functionally impoverished without a single tree being cut.

Compiling even basic global forest cover data is technically and often politically challenging, and global overviews of forest degradation are even more difficult to generate. It has been estimated conservatively that at least one-fifth of the world's humid tropical forest estate was subject to some level of timber extraction between 2000 and 2005. A plausible generic definition of forest degradation has been suggested as "a reduction in the capacity of a forest to produce ecosystem services" while stressing that there is a wide continuum of degrees of degradation.

Commonly cited drivers behind the often overlapping processes of deforestation, fragmentation, and forest degradation in the tropics are increasing demands for agricultural land, meat production, extractive industries, such as mineral, oil, and gas extraction, and fuel and timber extraction. Related road and energy infrastructure are rapidly increasing in most tropical forest regions. For example, a recent study describes the fundamental change induced by road construction in the Amazon. Competing demand for land in recent years has been triggered by the expansion of industrial-scale agriculture, including for biofuel production, rapid urbanization, and infrastructure development, in addition to increased global demand for forest products. Aggressive plans to further develop hydropower in the Brazilian Amazon would not only flood large tracts of primary forests but also strongly affect Indigenous Peoples and local communities, besides harming globally outstanding freshwater biodiversity. There are similarly serious concerns about massive hydropower schemes, for example in the Mekong and Congo Forests.

estudio calculó para Asia una tasa de alrededor del doble que la de Sudamérica o África. En Asia la mayoría de los países ya han sufrido una severa pérdida de los bosques, y los países ricos en bosques como Indonesia y Malasia están sufriendo un rápido cambio.

Mientras que la deforestación en términos de la pérdida de cobertura vegetal y cambio de uso del suelo es la forma más obvia del cambio sufrido por los bosques tropicales, existe una preocupación igualmente seria con respecto de las múltiples consecuencias de la fragmentación y de la degradación directa e indirecta.

Los esfuerzos globales para entender la escala de fragmentación del bosque y responder de mejor manera a esta amenaza incluyen a la alianza de organizaciones no gubernamentales que trabajan en Paisajes Boscosos Intactos (IFL, por sus siglas en inglés) y que llevan a cabo nuevos esfuerzos para posicionar a los bosques intactos de acuerdo a su importancia. El antecedente inmediato es el Instituto de los Recursos Mundiales y lo que en su momento se denominó la "frontera forestal", lo que ahora se define como un IFL que es una "extensión continua de ecosistemas naturales dentro de una zona boscosa existente, que no muestra signos de actividad humana significativa y suficientemente grande para que toda la biodiversidad nativa, incluyendo las poblaciones viables de especies distribuidas en toda la zona, puedan ser conservadas". Análisis a nivel global sugieren que las IFLs remanentes se encuentran solamente entre los bosques tropicales y boreales. Lo que es más, muchos países han perdido por completo a sus IFLs pues sus bosques primarios han sido fragmentados y degradados y en muchos países los IFLs no se encuentran suficientemente protegidos. Sigue aún sin comprenderse cabalmente lo que significa esta notable fragmentación y degradación en términos de servicios, funciones, valores e incluso de resiliencia de los ecosistemas forestales y las especies que de ellos dependen. Habiendo señalado lo anterior, la importancia de la vulnerabilidad del último gran bosque primario no debe opacar la importancia de las áreas forestales primarias menores que tienen un alto valor por su biodiversidad, contrario a los paisajes que ya han sido talados y degradados.

Como se detalló en el segundo capítulo sobre biodiversidad y servicios ecológicos, la defaunación o pérdida de las poblaciones de fauna silvestre, lo mismo que la disminución de la abundancia de individuos, es una consecuencia poco reconocida de la degradación del bosque primario. La defaunación es el resultado de la cacería legal y

TROPICAL FOREST | BOSQUE TROPICAL
A burned clear-cut | Un clareo forestal quemado
Sarawak, Borneo
Malaysia | Malasia
MATTIAS KLUM/NAT GEO CREATIVE

Based on a meta-analysis of more than 150 cases of tropical deforestation, recent research emphasizes that the interplay between several proximate and underlying factors driving deforestation and forest degradation in the tropics varies on a case-by-case basis. The authors of this comprehensive overview refer to the "agriculture-wood-road connexus" and the "agriculture-wood connexus" as the most frequently encountered combination of factors in addition to population-driven agricultural expansion. Based on the example of Brazilian and Indonesian lowland forests, another study highlights the changing nature of drivers of tropical deforestation. In particular, results stress the growing role of well-capitalized meat production, produce, and timber for global markets, sharply differing from state-driven schemes promoting small-scale agriculture in sparsely settled tropical forest areas in earlier decades. There are also strong indications of forests coming under increasing stress from temperature changes and altered rainfall patterns.

Timber extraction is one of the most visible forms of forest use, a major cause of forest degradation, but not the decisive factor in tropical deforestation globally, as overall most deforestation is caused by the expansion of agriculture. Nevertheless, in some regions, such as Southeast Asia, high rates of industrial logging are a key factor driving change because of direct impacts and because logging facilitates often uncontrolled access to remote areas. As elsewhere, demand for high-value timber species from external markets fragments remote areas and opens them up to further degradation or conversion. This still neglected secondary effect of timber extraction is often even more destructive to primary forests than the direct impacts of logging as such.

While the relationship between humankind and forests has always been dynamic, the current and ongoing human pressure on primary forests at a global scale is unprecedented. Habitat loss and the effects of primary forest fragmentation on landscape connectivity are the most striking direct consequences of deforestation, with less visible forest degradation likewise being a strong and increasing concern, even in the spatially growing expanse of temperate forests. It is important to recall that the heavily affected tropical forests are disproportionately important for their biodiversity values. Continued loss, fragmentation, and degradation of tropical forests therefore threaten global terrestrial biodiversity possibly "more than any other contemporary phenomenon."

It is a dilemma that tropical forest areas of conservation importance

furtiva, así como del comercio de vida silvestre. Los casos más severos pueden terminar en lo que se ha denominado "síndrome de bosque vacío", en donde gran parte de la vida silvestre ha sido eliminada. Hoy resulta claro que la pérdida o la considerable disminución de la abundancia de especies por las causas arriba mencionadas puede alterar la composición fundamental del bosque y de otros ecosistemas, afectando el funcionamiento ecosistémico y el bienestar humano. Si bien se reconoce que aún existen muchas interrogantes en cuanto a las complejas consecuencias que tiene la defaunación, no cabe duda de que los bosques sufren empobrecimiento biológico y funcional aún sin que se haya cortado un solo árbol.

Compilar información básica sobre la cubierta forestal global es políticamente complejo y generar las evaluaciones globales sobre la degradación forestal es incluso más complicado. Se ha estimado conservadoramente que entre 2000 y 2005, por lo menos una quinta parte del bosque tropical lluvioso fue sujeto a la explotación maderera. Se ha propuesto la definición genérica para la degradación forestal como "la reducción de la capacidad de un bosque para producir los servicios de los ecosistemas", aunque hay que señalar que existe una gama muy amplia de niveles de degradación.

Los factores más comunes que están detrás de los entreverados procesos de deforestación, fragmentación y degradacón de los bosques tropicales, son la creciente demanda de tierras agrícolas; la producción ganadera; la industria extractiva de minerales, petróleo y gas, así como la extracción de madera y de leña. Los caminos y la infraestructura energética crecen de manera rápida en todas las regiones boscosas tropicales. Por ejemplo, un estudio reciente describe los cambios fundamentales introducidos por la construcción de carreteras en la Amazonía, en donde se ha disparado la demanda de tierras para la creciente agroindustria, incluyendo la producción de biocombustibles, la rápida urbanización y los desarrollos de infraestructura, además de la creciente demanda global de productos forestales. Los agresivos planes para desarrollar la generación hidroeléctrica en la Amazonía brasileña no sólo inundarán grandes extensiones de bosques primarios, sino que también afectarán de manera severa a los Pueblos Indígenas y a las comunidades locales, además de perjudicar la extraordinaria biodiversidad de agua dulce que tiene importancia mundial. Existen inquietudes similares muy serias sobre los gigantescos esquemas de generación hidroeléctrica, como en el caso de los bosques del Mekong y del Congo.

regularly overlap with areas of rural poverty, a phenomenon referred to by some as the "shared biogeography of biodiversity and poverty." Large numbers of resource-dependent rural poor live in biodiversity-rich tropical forests areas. There are also strong overlaps between cultural and biological diversity, including but not limited to tropical forest areas. In such settings, the forests have been portrayed as obstacles to "development." Yet, there is plenty of evidence of the critical contribution of forests to local and indigenous livelihood systems, of forests providing major economic services, and of forests serving as safety nets at times of crisis—in addition to a wealth of other social, cultural, and spiritual functions and values. Rather than providing local benefits in the longer term, development models focusing on commercial extraction of natural resources typically further marginalize Indigenous Peoples and local communities. It is clear that the conservation of the last primary forests must not come at the expense of poor, resource-dependent communities and Indigenous Peoples. It is also clear that the conservation of the remaining primary forests, while it is still possible, should be an urgent global conservation priority.

Large tracts of tropical forests disappearing within a few short decades and significant degradation and loss of primary boreal forests have undoubtedly increased the political and public visibility of the above trends and their consequences, and have also triggered major international debates and conservation efforts. The undisputed importance of forests, and particularly primary forests, has helped raise their profile in international policy debates. Unfortunately, we have not succeeded in making industrial-scale agriculture, resource extraction, and infrastructure development consistent with the conservation of primary forests. Preventing the opening up and large-scale exploitation of the last "forest frontiers" is an ever more important imperative of global biodiversity conservation and the survival of the remaining forest-dependent indigenous cultures.

TILMAN JAEGER

FOLLOWING PAGES/PÁGINAS SIGUIENTES
TROPICAL FOREST | BOSQUE TROPICAL
Oil palm plantation | Plantación de aceite de palma
Sarawak, Borneo
Malaysia | Malasia
MATTIAS KLUM/NAT GEO CREATIVE

Basados en el meta-análisis de más de 150 casos de deforestación tropical, una investigación reciente destacó que la interacción de varios factores inmediatos y subyacentes causantes de deforestación y degradación de los bosques tropicales varía en cada caso. Los autores de este estudio comprehensivo hacen referencia al "conexo agricultura-madera-carreteras" como la combinación de factores más frecuente, además de la expansión de tierras para la agricultura. Otro estudio basado en los ejemplos de los bosques bajos de Indonesia y de Brasil, señala la naturaleza cambiante de las causas de la deforestación. En particular, los resultados del estudio muestran el creciente papel que juega la producción bien capitalizada de productos cárnicos, verduras y productos madereros para los mercados globales en agudo contraste con los esquemas agrícolas a pequeña escala promovidos por el gobierno en asentamientos poco poblados en áreas boscosas tropicales en décadas previas. También existen fuertes indicios de que los bosques están siendo presionados por cambios en la temperatura y en los patrones de precipitación.

Uno de los usos más visibles del bosque es la extracción maderera, que es una causa mayor de la degradación forestal, aunque a nivel global no es el factor dominante de la deforestación de los trópicos. En algunas regiones como en el Sureste asiático, las elevadas tasas de industrialización maderera son el factor determinante del cambio debido a su impacto directo y porque la tala facilita el acceso incontrolado a las áreas más remotas. Como en todos lados, la demanda de grandes volúmenes de especies maderables por los mercados externos fragmenta las áreas más distantes y las abre para su ulterior degradación o conversión. Esta amenaza secundaria aún poco reconocida indica que la extracción maderera es con frecuencia aún más destructiva para los bosques primarios que el impacto directo de la explotación maderera.

Mientras que la relación entre la humanidad y el bosque siempre ha sido dinámica, la presión sobre el bosque primario que los humanos estamos ejerciendo actualmente a escala global no tiene precedente. Las consecuencias directas más contundentes de la deforestación son la pérdida de hábitats, la fragmentación de la conectividad del paisaje y la degradación forestal, que si bien es menos visible, constituye una preocupación cada vez mayor, incluso en el bosque templado que es cada vez más extenso. Es importante recordar que el bosque tropical severamente afectado tiene una importancia enorme por los valores de biodiversidad que presenta. La pérdida continua, la fragmentación

y degradación del bosque tropical son por tanto una amenaza global a la biodiversidad terrestre, posiblemente "más que cualquier otro fenómeno contemporáneo".

El dilema que se presenta entre las áreas de importancia para la conservación es que con frecuencia éstas se traslapan con áreas rurales empobrecidas, un fenómeno conocido como "la biogeografía compartida de biodiversidad y pobreza". Un gran número de pobladores rurales pobres que dependen de los recursos del bosque viven en las áreas del bosque tropical rico en biodiversidad. También existen grandes concomitancias entre biodiversidad cultural y biológica que se presentan entre otras, en las áreas boscosas de los trópicos. En este contexto los bosques son vistos como un obstáculo al "desarrollo", aunque existe abundante evidencia sobre la contribución fundamental que el bosque brinda a los sistemas nativos de subsistencia, proporcionando importantes servicios económicos y por funcionando como red de seguridad en tiempos de crisis—además de una multitud de distintas funciones y valores de tipo social, cultural y espiritual. En lugar de lograr beneficios de largo plazo a nivel local, los modelos de desarrollo que se centran en la extracción comercial de los recursos naturales, tienden a marginalizar a los Pueblos Indígenas y a las comunidades locales. Está claro que la conservación de los bosques primarios no debe hacerse a expensas de las comunidades y Pueblos Indígenas pobres que dependen del bosque primario, y mientras su conservación sea posible, ésta debe ser una prioridad inaplazable.

Grandes extensiones de bosques tropicales están desapareciendo en unas cuantas décadas y su degradación significativa así como las consecuencias de la pérdida de los bosques boreales han acrecentado su visibilidad pública y política avivando el debate e impulsando las iniciativas de conservación a nivel internacional. La indiscutible importancia de los bosques y en particular de los bosques primarios, ha ayudado a elevar su perfil en los debates internacionales sobre políticas. Desafortunadamente, no se ha tenido éxito para que la agroindustria, ni la industria extractiva, ni los desarrolladores de infraestructura actúen a favor de la conservación de los bosques primarios. Prevenir la apertura de la explotación a gran escala de la "última frontera" es hoy por hoy, el imperativo más importante para la conservación de la biodiversidad y para la supervivencia de las culturas nativas dependientes de los bosques remanentes.

TILMAN JAEGER

TEMPERATE FOREST BIOME

The temperate forest biome comprises broadleaf, conifer, and mixed forests. Temperate forests have been reduced and modified throughout human history more than any other forest biome and remain only in a patchy distribution across North America, Europe, the Asian mid-latitudes, and Oceania. It is estimated that there are around 700 million hectares of temperate forests today, some 60 percent of the original extent, but that globally only 2 to 5 percent remain as primary forests. Outstanding examples of significant expanses of primary temperate forests include the Valdivian Forests of Chile and Argentina, the lesser-known Caspian Forests of Iran and Azerbaijan, and the Manchurian mixed and deciduous forests of China and Korea that reach into the Russian Far East. Particularly fascinating forest types within the biome include the Mediterranean forests and temperate rain forests. The latter cover the northwestern coast of North America from Northern California to southern Alaska, and parts of the coast of southern Chile, New Zealand, and Australia. While they continue to be subject to deforestation and degradation, the values of the remnants of the once much larger biome are increasingly recognized. Many conservation efforts are being made to secure the last ancient temperate forests before it is too late, including in the Australian Mountain Ash forests of southeast Australia, the forests of the Carpathian Mountains in Eastern Europe, and the famous Bialowieza Forest shared by Poland and Belarus, home of the last wild European bison.

EL BIOMA BOSQUE TEMPLADO

El bioma bosque templado comprende a los bosques latifoliados, los bosques de coníferas y los bosques mixtos. En toda la historia humana, los biomas bosques templados han sido los más reducidos y modificados. Sus remanentes consisten de pequeños bloques dispersos en Norte America, en Europa y en latitudes medias de Asia y Oceanía. Se estima que existen alrededor de 700 millones de hectáreas de bosque templado, que representan un 60 por ciento de su superficie original, aunque hay que decir que sólo entre el dos y el cinco por ciento permanece como bosque primario. Ejemplos extraordinarios de éstos son las selvas Valdivianas de Chile y Argentina y otros menos conocidos como el bosque mixto hircano del Caspio en Irán y de Azerbaiyán, o el bosque mixto de Manchuria y el bosque caducifolio de China y Corea que llega hasta Rusia y el lejano Oriente. Dentro de este bioma, los bosques Mediterráneos y los bosques templados lluviosos son particularmente interesantes. Estos últimos cubren las costas noroccidentales de Norteamérica, desde el norte de California hasta el sur de Alaska, y en algunas partes de la costa sur de Chile, Nueva Zelandia y en Australia. Mientras que estos bosques siguen siendo sujetos de deforestación y degradación, los valores de los bosques remanentes de lo que fuese un bioma mucho más grande están empezando a reconocerse. Se están llevando a cabo muchas iniciativas de conservación en los últimos bosques templados antes de que sea demasiado tarde, incluyendo los bosques australianos de fresno de montaña, los bosques de los Montes Cárpatos del este de Europa y el famoso bosque de Bialowieza compartido entre Polonia y Bielorrusia, hogar del último bisonte salvaje de Europa.

Plitvice Lakes National Park |
Parque Nacional de los Lagos de Plitvice
Croatia | Croacia

MAURIZIO BIANCARELLI/WILD WONDERS OF EUROPE

Fagus sylvatica | European beech | Haya europea
Abruzzo National Park | Parque Nacional de Abruzzo
Italy | Italia
SANDRA BARTOCHA

Huskisson Valley, Tarkine |
Valle de Husskison, Tarkina
Tasmania

ROB BLAKERS

Waterton Glacier International Peace Park,
Alberta/Montana |
Parque Internacional de la Paz Waterton-Glacier
Alberta/Montana
Canada | Canadá
United States of America | Estados Unidos de América

MICHAEL MELFORD/NAT GEO CREATIVE

Vosges Mountains | Montes Vosgos
France | Francia

VINCENT MUNIER

Rhinopitecus roxellana qinlingensis
Golden snub-nosed monkey | Mono chato dorado
Zhouzhi Nature Reserve, Shaanxi |
Reserva Natural de Zhouzhi, Shaanxi
China

FLORIAN MÖLLERS/WILD WONDERS OF CHINA

Anthracoceros albirostris
Oriental pied hornbill | Cálao oriental
Jingdong County, Yunnan |
Condado de Jingdong, Yunnan
China

XI ZHINONG/WILD CHINA

Uncompagre National Forest, Colorado |
Bosque Nacional de Uncompahgre, Colorado
United States of America | Estados Unidos de América
CARR CLIFTON

Caucasus Mountains, Qusar |
Montañas del Cáucaso, Qusar
Azerbaijan | Azerbaiyán
REZA/WEBISTAN PHOTO AGENCY

Styx Valley | Valle de Styx
Tasmania

ROB BLAKERS

Ursus americanus kermodei | Kermode bear | Oso Kermode
Great Bear Rainforest, British Columbia |
Bosque Lluvioso del Gran Oso, Columbia Británica
Canada | Canadá

PAUL NICKLEN

FOLLOWING PAGES/PÁGINAS SIGUIENTES
Sequoiadendron giganteum
Giant sequoia | Secuoya gigante
Sequoia National Park, California |
Parque Nacional Sequoia, California
United States of America | Estados Unidos de América

ART WOLFE/ARTWOLFE.COM

Fagus sylvatica | European beech | Haya europea
Carpathian Mountains | Cárpatos
Romania | Rumania
SANDRA BARTOCHA

Prayer flags, Chagri Dorjeden Monastery |
Banderas de oración, Monasterio Chagri Dorjeden
Bhutan | Bhután

CHRISTIAN ZIEGLER

FOLLOWING PAGES/PÁGINAS SIGUIENTES
North Cascades National Park, Washington |
Parque Nacional North Cascades, Washington
United States of America | Estados Unidos de América

KONSTANTIN MIKHAILOV

Panthera pardus orientalis
Amur leopard | Leopardo de Amur
Kedrovaya Pad Nature Reserve, Primorsky Krai |
Reserva Natural Kedrovaya Pad, Krai de Primorie
Russia | Rusia

EMMANUEL RONDEAU

< Bikin River Valley, Primorsky Krai |
Valle del Río Bikin, Krai de Primorie
Russia | Rusia

KONSTANTIN MIKHAILOV

Acadia National Park, Maine |
Parque Nacional de Acadia, Maine
United States of America | Estados Unidos de América

MICHAEL MELFORD/NAT GEO CREATIVE

FOLLOWING PAGES/PÁGINAS SIGUIENTES
Okanogan-Wenatchee National Forest, Washington |
Bosque Nacional Okanogan-Wenatchee, Washington
United States of America | Estados Unidos de América

CRISTINA MITTERMEIER

Alnus glutinosa | European alder | Aliso europeo
Bialowieza Forest | Bosque de Bialowieza
Poland | Polonia
GRZEGORZ LEŚNIEWSKI

Taxodium distichum | Swamp cypress | Pantano de ciprés
Caddo Lake, Louisiana | Lago Caddo, Luisiana
United States of America | Estados Unidos de América
POPP-HACKNER

Canis lupus | Coastal wolf | Lobo costero
Great Bear Rainforest, British Columbia |
Bosque Lluvioso del Gran Oso, Columbia Británica
Canada | Canadá

PAUL NICKLEN

< Tofino, British Columbia | Tofino, Columbia Británica
Canada | Canadá

PAUL NICKLEN

Fagus sylvatica | European beech | Haya europea
Bieszczady National Park | Parque Nacional de Bieszczady
Poland | Polonia

GRZEGORZ LEŚNIEWSKI/WILD WONDERS OF EUROPE

FOLLOWING PAGES/PÁGINAS SIGUIENTES
Cedrus atlantica | Atlas cedar | Cedro del Atlas
Ifrane National Park | Parque Nacional de Ifrane
Morocco | Marruecos

JAIME ROJO

Olympic National Park, Washington |
Parque Nacional Olympic, Washington
United States of America | Estados Unidos de América
ART WOLFE/ARTWOLFE.COM

Earth's southernmost forest |
El bosque más septentrional de la Tierra
Navarino Island | Isla Navarino
Chile

CRISTIAN MEDINA CID

Mushroom and firewood gatherer |
Recolector de leña y setas
Yunnan
China
CRISTINA MITTERMEIER

Yakushima, Osumi Islands |
Yakushima, Islas Osumi
Japan | Japón
ART WOLFE/ARTWOLFE.COM

5 Mobilizing International Action
Movilizando la Intervención Internacional

PREVIOUS CHAPTERS have illustrated the centrality of primary forests to our planet's environmental health and their importance across cultures and over millennia to humanity's economic, physical, cultural, and spiritual well-being. We have also described how the pressures of population and economic growth, globalization, conflict, corruption, failed governance, and the relentless pressures of human need and greed have destroyed much of the world's primary forests and today threaten the precious remaining areas.

We have also learned that while most drivers of primary forest destruction are manifested at the national and local levels—and that effective solutions must be rooted in local and national actions—deforestation is also largely driven by global markets and international political processes and policy decisions. We know also that the impacts of primary forest destruction and degradation on climate change and biodiversity loss know no boundaries. We are all in this together and must find ways to work and act collectively across national boundaries.

Calls for international cooperation to combat deforestation are not new. By the 1980s, tropical deforestation had already attracted the attention of the United Nations System, international financial institutions like the World Bank and international conservation groups. As we have seen, the primary forests lying in the tropics contain the

TROPICAL FOREST | BOSQUE TROPICAL
Danum Valley, Sabah, Borneo | Valle de Danum, Sabah, Borneo
Malaysia | Malasia
NICK GARBUTT

LOS ANTERIORES CAPÍTULOS han ilustrado lo esencial de los bosques primarios para la salud del medio ambiente y su importancia para todas las culturas, así como por su milenaria aportación al bienestar económico, físico, cultural y espiritual de la Humanidad. También se ha descrito cómo las presiones del crecimiento económico y poblacional, la globalización, los conflictos, la corrupción, los gobiernos fallidos, la incesante presión de las necesidades y la codicia humana han destruido la mayor parte de los bosques primarios del mundo y que aún hoy, se sigue atentando contra las preciadas áreas remanentes.

También hemos aprendido que aunque la mayor parte de las causas de la destrucción son obviamente de carácter local y nacional—y que las soluciones efectivas deben fundamentarse en iniciativas locales y nacionales—, y que la deforestación es causada en gran medida por el mercado global y los procesos de toma de decisiones políticas. También sabemos que el impacto de la destrucción y degradación del bosque primario no conoce fronteras para la pérdida de biodiversidad y del cambio climático. Todos estamos juntos en esto y todos debemos encontrar formas de trabajar y actuar de manera colectiva, más allá de los límites nacionales.

No son nuevas las convocatorias internacionales de cooperación para combatir la deforestación. En los 1980s, ya la deforestación tropical había llamado la atención de las Naciones Unidas y de instituciones internacionales como el Banco Mundial, así como de los grupos conservacionistas internacionales. Debido a que los bosques primarios de los trópicos contienen la mayor parte de la biodiversidad terrestre

great majority of the planet's terrestrial biodiversity. Publicity about their rapid destruction, particularly in the Amazon and Southeast Asia, stoked public outcry and international concern. As famed biologist E. O. Wilson put it at the time: "The one process ongoing in the 1980s that will take millions of years to correct is the loss of genetic and species diversity by the destruction of natural habitats. This is the folly that our descendants are least likely to forgive us." Associated threats to the territories, cultures, and livelihoods of forest-dependent Indigenous Peoples mobilized international human rights advocates along with the environmental constituency. By the 2000s, the contributions of deforestation to the greenhouse gas emissions driving climate change also became a major international concern.

Today, a sprawling complex of international institutions, processes, and initiatives dealing with forests in one way or another is in place, including formal UN treaties on climate change, biodiversity, and desertification, and a variety of UN or UN-linked agencies, agreements, and financing mechanisms. A vast amount of talent, time, and money has gone into these processes, but they have collectively failed to stem forest loss generally, and primary forests in particular. Data recently compiled by Global Forest Watch, for example, indicates that aggregate gross tree-cover loss in the tropics between 2001 and 2013 totaled over 1 million square kilometers—an area about the size of Bolivia, or more than two times the size of California or Thailand.

Not only ineffective, this ungainly collection of international environmental institutions also fills political space, making it more challenging for alternative, perhaps more effective, forms of co-operation to emerge. Many working within the international system bemoan the lack of progress on forests, but when it comes to refocusing and reforming UN institutions, one all too often finds them hindered by precedent, bogged down by inertia, and zealously guarded by beneficiaries of the status quo.

One unfortunate outcome of these processes has been a scientifically dishonest retreat from prioritizing the conservation of primary forests as the central forest policy challenge for the international community. Faced with consumer boycotts and potential trade bans, forest-rich nations clamored for equal concern for "all types of forests," "trees outside of forests," "reduced-impact logging," "sustainable forest management," and the equivalency of "planted forests" with primary forests—anything to take the focus off demands that they halt the logging and clearing of remaining primary forests.

del planeta, la difusión acerca de su rápida destrucción provocó la indignación pública y la atención internacional. Como lo dijo el famoso biólogo E. O. Wilson: "Uno de los procesos en curso durante los años ochenta que tomará millones de años en corregirse, es la pérdida de material genético y de diversidad de especies por la destrucción de los hábitats naturales. Esta es una necedad que nuestros descendientes nunca nos perdonarán". Las amenazas asociadas a esta pérdida para los territorios, culturas y subsistencia de los Pueblos Indígenas movilizó a los defensores de los derechos humanos entre la comunidad medio-ambientalista. A principios del Siglo Veintiuno, las emisiones de gas de efecto invernadero causantes del cambio climático provocadas por la deforestación también se convirtieron en un asunto internacional.

Hoy están en vigor un creciente número de instituciones internacionales, procesos e iniciativas ligadas al tema forestal, incluyendo los tratados formales de las Naciones Unidas (ONU) sobre cambio climático, biodiversidad y desertificación, así como una serie de agencias de la ONU, agencias independientes, acuerdos y mecanismos de financiamiento. Se han invertido una gran cantidad de tiempo, talento y recursos en estos procesos, que no han sido capaces de detener la perdida de bosques en general y del bosque primario en particular. Por ejemplo, información reciente del Global Forest Watch indica que la pérdida de cubierta arbórea en los trópicos fue de un millón de kilómetros cuadrados entre 2001 y 2013—una superficie del tamaño de Bolivia, o del doble de California o de Tailandia.

Además de su falta de efectividad, esta escuálida colección de instituciones ambientalistas internacionales también ocupan un espacio político, haciendo más difícil la emergencia de otras formas alternativas de cooperación más efectivas. Muchos de quienes trabajan dentro del sistema internacional se lamentan por la falta de progreso en el tema de bosques, pero cuando se trata de reorientar y reformar las instituciones de la ONU, a menudo las encontramos impedidas por sus antecedentes, o atrapadas en la inercia de quienes resguardan celosamente los beneficios obtenidos del status quo.

Un resultado desafortunado de estos procesos ha sido el repliegue científicamente deshonesto de la priorización de la conservación del bosque primario como el objetivo central de las políticas forestales de la comunidad internacional. De cara a múltiples boicots de los consumidores y amenazas de prohibiciones comerciales, las naciones ricas en recursos forestales clamaron por atención equitativa para "todos los tipos de bosques", o para los "árboles aislados", o por la

Can we reform the mechanisms of international cooperation to better protect primary forests? Do we need new mechanisms? How do we drive that kind of change? Here are four strategies for getting this done.

INSIDER STRATEGY: REFORMING EXISTING INSTITUTIONS

Can existing international institutions and processes that address forests in one way or another be reformed to play a meaningful role in saving primary forests? To answer that question it helps to simplify the bewildering institutional landscape. In essence, there are four types of institutions, each with strengths, weaknesses, and potential to strengthen their role in conserving primary forests.

UN Treaties

Treaties are legally binding agreements among states that seek to establish shared norms and values and also, in theory at least, to create legally binding obligations for contracting states. Non-state actors such as NGOs and the business community may be influential in practice but with rare exceptions, such as the World Heritage Convention that has civil society organizations as official Advisory Bodies, are legally just "Observers." The high-water mark of optimism about global environmental treaty-making came with the 1992 Rio "Earth Summit," which saw the launch of the United Nation's sustainable development charter "Agenda 21," the Global Environment Facility (GEF) funding mechanism, and UN conventions on climate change, biodiversity, and desertification. However, the international community was not able to reach consensus on forests, and proponents of a forest treaty were rebuffed.

It is curious, in the midst of such a frenzy of international environmental lawmaking and institution building, that some twenty-five years of contentious discussion on a legally binding treaty on forests has had no result. This inertia has led many to conclude that forests are just not a fit subject for a binding treaty, given individual state's sovereignty over forest lands, the tensions between economic and environmental functions of forests, and differing national situations and interests.

Treaties share at least three distinguishing characteristics. First, as a matter of law, only states "count." Treaties are negotiated by states and only bestow rights and obligations on states (although states may, through agreeing to a treaty, grant rights or impose obligations on

"tala de bajo impacto", el "manejo forestal sustentable" o equivalencias entre "plantaciones forestales" y bosques primarios—cualquier cosa que distraiga las demandas para detener el clareo y la tala de los bosques primarios remanentes.

¿Podemos reformar los mecanismos de cooperación internacional para proteger mejor los bosques primarios?, o ¿requerimos de nuevos mecanismos?, ¿cómo podemos provocar este tipo de cambio? Aquí se presentan cuatro estrategias para lograrlo:

ESTRATEGIA DESDE DENTRO: REFORMAS DE LAS INSTITUCIONES EXISTENTES

¿Pueden reformarse las instituciones internacionales existentes y los procesos que abordan la situación forestal para que jueguen un papel más significativo en la protección de los bosques primarios? Para contestar estas preguntas resulta útil simplificar el abrumador panorama institucional. En esencia existen cuatro tipos de instituciones, cada una con sus fortalezas, debilidades y capacidad potencial para fortalecer su papel en la conservación de los bosques primarios.

Los Tratados de la Organización de las Naciones Unidas

Los tratados son acuerdos jurídicamente vinculantes entre estados que buscan compartir normas, valores y al menos en teoría, obligaciones legales éntre los estados contratantes. Otros actores no estatales como las ONGs y la iniciativa privada pueden influir en la práctica, pero salvo escasas excepciones, como es el caso de la Convención del Patrimonio Mundial que incluye a organizaciones de la sociedad civil en el Órgano Consultivo oficial, legalmente son solamente "observadores". El punto más álgido de optimismo del ambientalismo global en torno a los tratados fue durante la "Cumbre de la Tierra de Río de 1992", en donde se presenció la emergencia de la carta de desarrollo sostenible "Programa 21" y del Fondo para el Medio Ambiente Global (GEF, por sus siglas en inglés), así como de las convenciones sobre el cambio climático, biodiversidad y desertificación. A pesar de ello, la comunidad internacional no consiguió lograr consenso sobre bosques, ignorando a quienes propusieron un tratado sobre el tema.

Es curioso que en medio de tal frenesí legislativo internacional ambientalista y de la creación de instituciones, las polémicas discusiones que han tenido lugar durante veinticinco años para lograr un tratado judicialmente vinculante para los bosques no hayan llegado a ningún lado. Esta inercia ha hecho que muchos concluyan que los bosques no

their citizens and others within their jurisdiction). Second, negotiation of treaties must be consensual among states. States that do not participate in negotiating a treaty or do not agree with the outcome are not bound by the treaty. Third, universality is a desirable feature of treaties; the more states that join, the better, although there are exceptions. These include the International Tropical Timber Agreement (ITTA), administered by the International Tropical Timber Organization (ITTO), and focusing on management of tropical forests and trade in tropical timber (encompassing only countries who produce or consume tropical timber), and the Convention on International Trade in Endangered Species (CITES), which focuses mainly on endangered animal species, but also regulates international trade in some timber species overharvested for international markets.

The UN Framework Convention on Climate Change (UNFCCC) deals only tangentially with forests, but includes mention of reducing emissions from deforestation, including through conservation measures, as an element of its Paris Agreement concluded in December 2015. The funding mechanism under the UNFCCC, the Green Climate Fund, could also make a major contribution to primary forest conservation for both climate mitigation and adaptation. How and to what extent primary forest conservation should be prioritized as part of the response to climate change, however, is left in the hands of individual governments.

The Convention on Biological Diversity (CBD) in 2010 established a set of "Aichi Targets," including Target 5, which says, "By 2020, the rate of loss of all natural habitats, including forests, is at least halved and where feasible brought close to zero, and degradation and fragmentation is significantly reduced." Target 5 is hopeful, but leaves the door open for a country to continue to clear its primary forests if ceasing to do so is deemed to be not "feasible." The CBD contains no compliance or enforcement provisions for its targets.

UN Policy Forums

These high-profile gatherings of senior political leaders—usually flanked by "stakeholders" from civil society and the private sector—establish or reinforce international norms, set international agendas for cooperation, establish (or bless) new institutions and processes, and almost always result in a negotiated, consensus document. Summits are usually mandated by Resolutions of the UN General Assembly. Some, like the progeny of the 1992 Earth Summit (the Johannesburg

pueden estar sujetos a un tratado vinculante, debido a la soberanía que los estados ejercen sobre las tierras forestales, así como las tensiones a que están sujetas las funciones económicas y ambientales, además de las asimetrías entre los diferentes intereses nacionales.

Los tratados comparten al menos tres peculiaridades. Primero, que por ley solamente "cuentan" los estados. Los tratados son negociados por los estados y son éstos los que concesionan derechos y obligaciones (aunque los estados, mediante acuerdos dentro de un tratado, pueden otorgar derechos e imponer obligaciones a sus ciudadanos y a otros dentro de su jurisdicción). Segundo, las negociaciones sobre los tratados deben ser consensuales entre los estados. Los estados que no participan en las negociaciones y que no están de acuerdo con los resultados no son regidos por los mismos. Tercero, la universalidad es una característica deseable de los tratados y entre más estados se adhieran, mejor, aunque existan excepciones, como el Convenio Internacional sobre las Maderas Tropicales (ITTA), que principalmente se centra en el manejo de bosques tropicales y el comercio en especies de madera tropical (incluyendo solamente a países que producen y consumen maderas tropicales), y la Covención para el Comercio Internacional de Especies Amenanazadas (CITES, por sus siglas en inglés), la cual se enfoca en especies de fauna en peligro y que también regula el comercio de algunas especies maderables sobreexplotadas por los mercados internacionales.

La Convención Marco sobre el Cambio Climático (UNFCCC) de la ONU, solamente considera tangencialmente a los bosques, aunque incluye la mención de la reducción de emisiones por deforestación a través de medidas de conservación como un elemento del Acuerdo de París del 2015. El mecanismo de financiamiento de la UNFCCC, el "Fondo Verde para el Clima" logró constituirse como un factor básico para la conservación del bosque primario para la mitigación climática y la adaptación. Sin embargo, el cómo y en qué medida la conservación del bosque primario debe priorizarse como parte de la respuesta al cambio climático queda en manos de los gobiernos individuales.

La Convención sobre Diversidad Biológica (CBD) de 2010, estableció los Objetivos de Aichi, que incluyen el Objetivo 5 el cual establece que: "Para 2020, la tasa de pérdida de hábitats naturales, incluyendo los bosques, deberá reducirse por lo menos a la mitad y en donde sea factible, deberá reducirse a cerca de cero. La degradación así como la fragmentación, deberán ser reducidas de manera significativa". El Objetivo 5 es muy deseable pero deja la puerta abierta para que

Summit of 2002, Rio+20 in 2012) are discrete events, but others, like the UN Forum on Forests (UNFF), are standing bodies that have met regularly for more than a decade.

Like treaties, these bodies legally exclude all but states from the formal negotiation and decision-taking processes. Unlike treaties, they are not legally binding, though they are nevertheless taken as authoritative expressions of intergovernmental consensus and have very real consequences—positive or negative—on the decisions, actions, and investments of states and stakeholders.

The UNFF, established in 2000 as a nonbinding policy forum reporting to the General Assembly, has never risen above the status of a UN insiders' talk shop, and does not attract the participation of the private sector, civil society, donor agencies, or even most politicians responsible for consequential decisions affecting forests. While UNFF's mandate was renewed in 2015, its visibility and effectiveness are not likely to improve. Driven by the lowest common denominator, consensus-driven "all types of forests" rhetoric, long promoted by those countries most responsible for deforestation, UNFF appears on balance to be an obstacle to meaningful efforts to halt the cutting and clearing of primary forests.

UN policy forums can, however, have significant impacts. The UN Climate Summit called by the Secretary General in September 2014, for example, is given credit by many for putting political wind into the sails of the UN Climate Change Convention, as countries navigated the complicated negotiations that eventually resulted in the December 2015 Paris Agreement. The 2014 gathering also provided the impetus and venue for the New York Declaration on Forests (NYDF), as discussed below.

The 2012 Rio+20 Summit launched a three-year process to develop the Sustainable Development Goals (SDGs), adopted by world leaders at the United Nations in September 2015. Covering a vast range of issues, advocates for forest conservation were pleased that SDG Goal 15 commits nations to "sustainably manage forests, combat desertification, halt and reverse land degradation, and halt biodiversity loss," and sets a specific target to "halt deforestation by 2020."

Taken together, SDG 15 and the Paris Agreement afford a stronger international platform for conserving primary forests than past efforts have provided. It is up to advocates for primary forests to make sure that the governments that have endorsed and adopted these instruments fully recognize the disproportionate importance of primary forests

los países continúen con el clareo de sus bosques primarios si la suspensión no se considera "factible". La CBD no prevé requisitos de cumplimiento o procedimientos para la consecución de dicho objetivo.

Los Foros sobre Políticas de las Naciones Unidas

Las reuniones de líderes políticos de alto perfil—que incluyen a "operadores" de la sociedad civil y del sector privado—establecen o refuerzan normas internacionales, arman agendas de cooperación internacional, establecen (o aprueban) nuevas instituciones y procesos, y casi siempre resultan en un documento de consenso negociado. Las cumbres son mandatadas por Resoluciones de la Asamblea General de la ONU. Algunas, como la progénita de la serie de Cumbres de la Tierra de 1992 (la Cumbre de Johannesburgo de 2002, Río+20 en 2012) son eventos únicos, y otros como el Foro de las Naciones Unidas sobre Bosques (UNFF), son organismos permanentes que se reúnen regularmente.

Al igual que los tratados, estos organismos no incluyen a nadie de las negociaciones formales y del proceso de toma de decisiones, excepto a los estados. A diferencia de los tratados, los foros no son jurídicamente vinculantes no obstante son considerados como expresiones rectoras del consenso intergubernamental y tienen consecuencias muy reales—positivas o negativas—en las decisiones, las acciones y en las inversiones en los estados y partes interesadas.

El UNFF, establecida en 2000 como un foro de políticas no vinculantes que reporta a la Asamblea General nunca ha superado el estado de un parlamento interno y no incluye a la iniciativa privada, a la sociedad civil, ni a las agencias donadoras, o en su caso tampoco a los políticos responsables de las decisiones que afectan a los bosques. Mientras que el mandato del UNFF fue renovado en el año 2015, es probable que su visibilidad y efectividad no mejoren. Impulsado por la retórica de consenso y el mínimo denominador común de "todo tipo de bosques" y ampliamente promovido por los países mayormente responsables de la deforestación, el Foro resulta más bien ser un obstáculo a las iniciativas para detener la tala de los bosques primarios.

Sin embargo los foros para políticas de la ONU pueden tener impactos significativos. Por ejemplo, la Cumbre sobre el Clima convo-

---

FOLLOWING PAGES/PÁGINAS SIGUIENTES
BOREAL FOREST | BOSQUE BOREAL
Finland | Finlandia
MARKUS MAUTHE

in combating the global challenges of halting biodiversity loss and reducing greenhouse gas emissions, and take action accordingly.

Multilateral "Executive Agencies"

Such agencies are formal UN bodies or agencies that may also serve convening, norm-setting, and policy-making functions. Unlike treaties or UN policy forums, though, they also "do" something as technical implementation and/or financing bodies. As with treaties and UN policy forums, non-state actors have no formal role in decision making in these bodies, but often have important functions as implementation partners or contractors. Examples include United Nations Environment Programme (UNEP), United Nations Development Programme (UNDP), United Nations Food and Agriculture Organization (FAO), the World Bank, and the regional development banks. These executive agencies have also spawned a number of financing mechanisms with a hybrid governance character, including the Global Environment Facility (GEF), the Forest Carbon Partnership Facility (FCPF), the UN-REDD Program, and the Forest Investment Program (FIP), which is one of the Climate Investment Funds (CIFs) housed in the World Bank.

While policy decisions in the GEF are state-dominated, its executing "project agencies" have expanded from the small circle of the World Bank, UNDP, and UNEP in the early 1990s to include regional development banks and some international NGOs such as the International Union for Conservation of Nature (IUCN), Conservation International (CI), and the World Wildlife Fund (WWF) as accredited project agencies. More recently, established funds such as the Forest Carbon Partnership Facility (FCPF), UN-REDD, and Forest Investment Program have given NGOs and Indigenous Peoples' representatives more prominent roles in governance. While these non-state actors do not, for the most part, hold formal veto power over decisions, their views are taken seriously, and it is rare for major decisions to be taken over their concerted opposition. Perhaps most important, these representatives of non-state actors are given the same access to information (documents on proposed projects or implementation reviews) as states, a prerequisite for active and informed participation in the governance and management of any institution.

Intergovernmental Science-Policy Interfaces

Intergovernmental science-policy bodies are constituted by governments to provide a sound scientific basis for priority setting, decision

cada por el Secretario General en septiembre del 2014 fue considerada por muchos como el impulsor político de la Convención de la ONU para el Cambio Climático, en el que los países llevaron a cabo complicadas negociaciones que finalmente dieron como resultado el Acuerdo de París en diciembre del 2015. La reunión de 2014 también le dio ímpetus y abrió un espacio para la Declaración de Nueva York sobre Bosques (NYDF), como se discutirá más adelante.

La Cumbre de Río+20 de 2012 anunció un proyecto de tres años para trazar las Metas del Desarrollo Sustentable (SDG), que fueron adoptadas por los líderes de todo el mundo en las Naciones Unidas en septiembre del 2015. Si bien es cierto que el proyecto cubre un amplio espectro de temas, la Meta 15 sobre "el manejo sustentable de los bosques, el combate contra la desertificación, la suspensión y recuperación de la degradación de los suelos y la pérdida de biodiversidad" entusiasmó a los defensores de la conservación de los bosques "al establecerse la suspensión de la deforestación para 2020" como un objetivo específico.

Ahora, la meta SDG-15 y el Acuerdo de París juntos brindan una plataforma internacional más robusta para la conservación del bosque primario. Está ahora en manos de los defensores del bosque primario asegurarse que los gobiernos firmantes que adoptaron este instrumento reconozcan cabalmente la importancia desproporcionada de los bosques primarios para el combate global contra la pérdida de biodiversidad y para la reducción de la emisión de gases de tipo invernadero y que actúen de acuerdo a esto.

"Agencias Ejecutivas" Multilaterales

Estas agencias son entidades formales de la ONU que actúan como foros para el diseño de políticas y el establecimiento de normas. A diferencia de los foros de políticas o de los tratados de la ONU, estas instancias "si" llevan a cabo labores de implementación técnica o financiera. Igual a como pasa en los tratados y en los foros de políticas de la ONU, los actores no-gubernamentales tampoco tienen un papel formal en la toma de decisiones, aunque con frecuencia desempeñan funciones importantes como colaboradores o contratistas. Ejemplos de ello son el Programa de las Naciones Unidas para el Medio Ambiente (PNUMA), el Programa de las Naciones Unidas para el Desarrollo (PNUD), la Organización de las Naciones Unidas para la Agricultura y la Alimentación (FAO), el Banco Mundial y la banca de desarrollo regional. Además, estas agencias ejecutivas han dado lugar a un gran

making, and resource allocation. By setting up such intergovernmental bodies, states can at least keep an eye on each other's "experts" in a more transparent manner. They lose some ability to shade "the facts" in their favor, but in theory that loss is spread more or less equally among states and the credibility of eventual outcomes is boosted.

The delicate balance between granting enough independence to ensure scientific credibility on the one hand, and asserting state preferences on the other, is evident in the work of the Intergovernmental Panel on Climate Change (IPCC). For an IPCC assessment, literally thousands of scientists review a vast body of peer-reviewed scientific literature to create assessment reports that are considered highly credible by all but the most vehement climate-change skeptics. Those assessment reports are then reduced to a "Summary for Policymakers" that is negotiated line-by-line by states working as hard as they can to remove whatever facts or conclusions they find most inconvenient. Some scientific credibility may be sacrificed in the process, but there is also a corresponding gain in buy-in from policymakers in a position to take action.

Other intergovernmental institutions providing a science-policy interface relevant to forests include the FAO, the Center for International Forest Research (CIFOR), and the relatively new Intergovernmental Panel on Biodiversity and Ecosystem Services (IPBES). Frustrations with the performance of such UN and affiliated institutions in addressing deforestation should not cloud the fact that the United Nations possesses inherent (if often unrealized) competencies to take action on forests at the international level. These include:

- Global norm-setting and legitimation of norms and goals in the eyes of states with respect to forest-related global environmental challenges;
- Transboundary law enforcement;
- Mobilizing and managing international forest finance;
- Establishing human rights norms related to forests and forest policy, particularly with respect to indigenous and local forest-dependent communities, and providing a forum for monitoring and accountability with respect to those norms.

As the following examples indicate, bodies dealing with forests need not look beyond the UN system to find promising avenues for institutional growth and reform that could contribute to effectiveness and inclusivity.

número de mecanismos de financiamiento de carácter gubernamental híbrido entre las que encontramos al Fondo para el Medio Ambiente Mundial (GEF), el Fondo Cooperativo para el Carbono de los Bosques (FCPF), al programa de las Naciones Unidas REDD (Reducción de Emisiones por Deforestación y Degradación de los bosques) y al Programa de Inversión Forestal (FIP), que forman parte de los Fondos de Inversión para el Clima (CIF) promovido por el Banco Mundial.

Aunque las decisiones políticas del GEF son dominio de los estados, los organismos ejecutivos de los proyectos se han expandido desde el pequeño círculo del Banco Mundial, el PNUD y el PNUMA a principio de los años noventa, para incluir al banco de desarrollo regional y algunas ONGs internacionales como la Unión Internacional para la Conservación de la Naturaleza (UICN), Conservation International (CI) y el World Wildlife Fund (WWF) como entidades proyectistas acreditadas. Más recientemente, fondos establecidos como el Fondo Cooperativo para el Carbono de los Bosques (FCPF), el programa de las Naciones Unidas REDD y el Programa de Inversión Forestal le han dado un papel más prominente a las ONGs y a los Pueblos Indígenas en la gobernanza. A pesar de que estos actores no gubernamentales en general no tienen poder formal para vetar decisiones, sus puntos de vista son considerados con seriedad y es raro que se tomen decisiones importantes cuando hay una oposición concertada. Lo que es más, a los representantes de estos actores no gubernamentales se les da igual acceso a la información (documentos de proyectos propuestos, evaluaciones de implementación, etc.) que a los estados, un prerrequisito para la participación informada en la gestión y gobierno de cualquier institución.

Vinculación intergubernamental entre Ciencia y Políticas

Las entidades científicas y políticas intergubernamentales se forman por los gobiernos para proveer una base científica razonable para el establecimiento de prioridades, para la toma de decisiones y para la asignación de recursos. Con la formación de estas entidades los estados pueden por lo menos vigilar a los "expertos" de otras agencias de una forma más transparente. En parte, pierden capacidad para sesgar los hechos en favor propio, aunque en teoría esta pérdida se distribuye más o menos equitativamente entre los estados, eventualmente acrecentando la credibilidad sobre los resultados.

El delicado equilibrio entre la concesión de suficiente independencia para asegurar credibilidad científica por un lado, y la preservación de

Permanent Forum on Indigenous Issues
The Permanent Forum on Indigenous Issues (PFII) is an advisory body to the UN Economic and Social Commission. It was established in 2000 with a mandate to discuss indigenous issues related to economic and social development, culture, the environment, education, health, and human rights. Composed of sixteen members elected for fixed terms through a complex system to balance state and Indigenous Peoples' nominations, the PFII meets annually for two weeks at UN headquarters and has become an important platform for injecting indigenous concerns into the UN process.

Forest and Climate Finance Mechanisms
Over the past decade, a new generation of multilateral mechanisms has been established to generate, manage, disburse, and monitor international funding for forest conservation and management investments that are part of country strategies to reduce greenhouse gas emissions from deforestation, such as REDD+. These mechanisms include the FCPF and the FIP within the CIFs mechanism, both managed out of secretariats within the World Bank. The UN-REDD Programme, a partnership of FAO, UNDP, and UNEP, is another such initiative that has given a prominent role at the table to civil society, Indigenous Peoples, and the private sector.

Global Environment Facility
There has been a similar evolution in the Global Environment Facility (GEF), which was founded in 1991 as a very state-centric institution, with only the World Bank, UNDP, and UNEP as its implementing agencies. Nearly twenty-five years later, GEF's fourteen implementing agencies include not only all of the regional development banks and more UN agencies, but also IUCN, WWF, and CI.

Committee on World Food Security
The Committee on World Food Security (CFS) was established in 1974 as an intergovernmental body to serve as a forum in the UN system for review and follow-up of policies concerning world food security, including production and physical and economic access to food. During 2009, the CFS underwent reform to make it more effective by including a wider group of stakeholders and increasing its ability to promote policies that reduce food insecurity. While the CFS Bureau is composed of twelve member states, its work is strongly linked to that

prioridades por el otro, es evidente en el trabajo desempeñado por el Panel Intergubernamental sobre el Cambio Climático (IPCC). Para un estudio del IPCC, literalmente miles de científicos analizaron una gran cantidad de literatura científica reconocida por expertos con el objeto de generar informes de evaluación calificados como altamente confiables por todos excepto aquellos escépticos más intransigentes sobre el cambio climático.

Otras instituciones intergubernamentales relevantes que proporcionan una vinculación entre políticas y ciencia para los bosques son el Centro para la Investigación Forestal Internacional (CIFOR) y la relativamente nueva Plataforma Intergubernamental sobre Diversidad Biológica y Servicios de los Ecosistemas (IPBES). El frustrante desempeño de las Naciones Unidas y las instituciones afiliadas encargadas de la deforestación no deben nublar el hecho de que la Organización tiene la facultad inherente a nivel internacional (si bien no siempre cumplida) para tomar acciones sobre los bosques, consistentes en:

- El establecimiento de normas globales y legitimación de normas y metas ante los estados relativas a amenazas ambientales globales que afectan a los bosques;
- La aplicación transfronteriza de la ley;
- Movilización y gestión del financiamiento forestal internacional;
- El establecimiento de normas de derechos humanos sobre los bosques y sobre las políticas forestales, en particular sobre los derechos relacionados con comunidades locales e indígenas dependientes de los bosques, facilitando un foro de vigilancia para el cumplimiento de los compromisos.

Como se podrá ver en los siguientes ejemplos, las entidades que lidian con los bosques no necesitan ir más allá del sistema de las Naciones Unidas para encontrar vías prometedoras de crecimiento y las reformas institucionales necesarias para contribuir de manera efectiva e incluyente.

Foro Permanente para las Cuestiones Indígenas
El Foro Permanente para las Cuestiones Indígenas (PFII, por sus siglas en inglés) es un cuerpo de asesores de la Comisión Económica y Social de las Naciones Unidas. Fue establecido en 2000, con el mandato de discernir las cuestiones relativas al desarrollo económico y social indígena así como de cuestiones culturales, ambientales,

of an advisory committee that includes a broad range of stakeholder representatives and is informed by the High Level Panel of Experts, which includes a representative of a civil society organization.

FAO Committee on Forestry and Regional Forestry Commissions
Long-standing bodies of the FAO at global and regional levels, respectively, have over the past decade adopted reforms that greatly broadened stakeholder input and participation—and therefore strengthened stakeholder support for FAO's work on forests. Formerly government-only, procedural and dull, these committees now periodically convene back-to-back with large multi-stakeholder forums in alternate years, enriching and energizing all sides.

These examples demonstrate that it is possible, even within the confines of essentially state-centric UN processes, to articulate relatively bold visions, deal with sensitive issues like indigenous rights and food security, and mobilize more energetic and constructive multi-stakeholder participation.

OUTSIDER STRATEGY: MOBILIZING NEW COALITIONS

International cooperation on forests need not take place only within the UN framework, and numerous promising initiatives that complement and challenge traditional UN institutions have been launched in the past few years. The four examples below vary in their scale, participation, and focus, but share three broad characteristics that contrast with the state-centric UN model of international cooperation on forests that has prevailed since the 1992 Rio Summit. These characteristics include:

- Coalitions that do not seek or require consensus from those who do not share some basic principles (like ending commodity-driven tropical deforestation by 2020), and who might use their position within a consensus-driven body like UNFF to undermine and sabotage progress;
- Coalitions that are multi-stakeholder, with national governments sharing power over the mission and decisions with subnational governments, civil society, business and industry, Indigenous Peoples, and others; states are at the table but do not hold a privileged position;
- Coalitions that have a critical mass of influential stakeholders such that they can meaningfully inform and influence national and international forest politics, policy processes, and investment decisions.

educativas, de salud y de derechos humanos. Compuesto por dieciséis miembros electos mediante un complejo sistema de balances entre las nominaciones del estado y de los Pueblos Indígenas, el PFII se reúne anualmente durante dos semanas en la sede de las Naciones Unidas y ha llegado a convertirse en una importante plataforma de difusión de las inquietudes indígenas en los procesos de la ONU.

El Bosque y los Mecanismos de Financiamiento para el Clima
Durante la década pasada se estableció una nueva generación de mecanismos multilaterales para generar, gestionar, desembolsar y supervisar el financiamiento de la conservación de los bosques y la administración de las inversiones que forman parte de las estrategias nacionales para reducir la emisión de gases de tipo invernadero, derivadas de la deforestación (por ejemplo, "REDD+"). Estos incluyen al FCPF y el FIP dentro de los mecanismos de los Fondos de Inversión para el Clima, ambos manejados por secretariados del Banco Mundial. El Programa UN-REDD, que es una alianza de la FAO, el PNUD y el PNUMA, es otra iniciativa semejante que ha dado un papel prominente a la sociedad civil, a los Pueblos Indígenas y a la iniciativa privada.

El Fondo para el Medio Ambiente Global
El GEF, fundado en 1991 como una institución netamente estatal, ha sufrido una evolución similar que utiliza como entidades únicas de implementación al Banco Mundial, al PNUD y al PNUMA. Después de casi veinticinco años, suman catorce las agencias de implementación que incluyen no sólo a la banca regional de desarrollo y a las agencias de las Naciones Unidas, sino también a la UICN, al WWF y a CI.

El Comité Mundial de Seguridad Alimentaria
El Comité Mundial de Seguridad Alimentaria (CFS, por sus siglas en inglés) se fundó en 1974 como un cuerpo intergubernamental para servir de foro en el sistema de las Naciones Unidas, para supervisar y dar seguimiento a las políticas mundiales de seguridad alimentaria, incluyendo la producción y accesibilidad física y económica a los alimentos. Durante 2009, el CFS sufrió reformas para hacerlo más efectivo e incluir a una gama mayor de beneficiados y para mejorar la capacidad de promover políticas que disminuyan la inseguridad alimentaria. Mientras que el Buró del CFS está compuesto por doce estados miembros, su trabajo está fuertemente ligado al comité consultivo integrado por una gran cantidad de representantes de los

Examples of promising initiatives include the following:

Tropical Forest Alliance 2020

Formed in 2012 by the government of the United States and the Consumer Goods Forum (CGF), the Tropical Forest Alliance (TFA) 2020 was established to support the commitment made in December 2010 by CGF member companies to eliminate tropical deforestation from their supply chains for palm oil, soy, beef, and pulp and paper by 2020. This commitment was driven in large part by pressure from advocacy NGOs, as well as growing collaboration with field-based NGOs to discover ways that the companies could continue to do their business with less harm to forests. The companies in CGF sought partnership with the United States and other governments, realizing that there are some things that only governments can do, such as set and enforce the rule of law, eradicate corruption, clarify land tenure, and create the enabling policy and regulatory conditions to incentivize private investment in more sustainable land and forest industries and practices.

In 2015, the Geneva-based World Economic Forum (WEF) (host of the Davos summits) became the permanent host for the TFA 2020, and a number of donor governments announced significant financial support for the alliance and its objectives.

New York Declaration on Forests

The New York Declaration on Forests (NYDF) is a non-legally binding declaration on forests supported by a coalition of governments, private sector firms, and NGOs. It was delivered in the context of the UN Secretary General's Climate Summit, held in New York during September 2014. The declaration itself sets out commitments and targets to 2030 on halting deforestation, restoring degraded forest lands, and mobilizing financing for developing countries to help achieve these goals. It also recognizes the importance of Indigenous Peoples' rights and their role in achieving its conservation and restoration goals.

The declaration was the product of essentially the same coalition that has supported TFA 2020, and has used the World Economic Forum's annual Davos gatherings over the past several years to focus greater political attention on forests, particularly in the context of climate change. While the words of the NYDF provide an important rallying point, it is probably the coalition of governments, companies, NGOs, and indigenous representatives that is most important for the future.

derechohabientes que se mantiene informado por un Panel de Expertos de Alto Nivel que incluye a representantes de las organizaciones de la sociedad civil.

El Comité Forestal de la FAO y la Comisión Forestal Regional

En la década pasada, entidades avezadas de la FAO a nivel regional y mundial han adoptado reformas que amplían la colaboración y participación de los beneficiarios—y por tanto, han fortalecido el apoyo de éstos en el trabajo de la FAO en los bosques. Anteriormente de acceso exclusivamente gubernamental, los que fueran antes administrativos y opacos comités, hoy se reúnen con los beneficiarios periódicamente en años alternos y de manera simultánea durante múltiples foros, enriqueciendo y estimulando a todas las partes.

Estos ejemplos demuestran que si es posible, incluso dentro de los límites de los procesos predominantemente gubernamentales de la ONU, articular visiones generales y lidiar con asuntos sensibles como los derechos de los indígenas a la seguridad alimentaria y la movilización para la participación de los beneficiarios de manera más enérgica y constructiva.

ESTRATEGIAS DESDE FUERA: MOVILIZACIÓN DE NUEVAS COALICIONES

No es necesario que la cooperación internacional sobre bosques se lleve a cabo solamente dentro del marco de las Naciones Unidas. Es así que durante los últimos años se han lanzado un gran número de promisorias iniciativas que estimulan a las instituciones tradicionales de la ONU. Los siguientes cuatro ejemplos, aunque varían en escala, participación y enfoque, comparten tres características que contrastan con el modelo eminentemente estatal de la ONU para la cooperación internacional sobre bosques que ha prevalecido desde la Cumbre de Río de 1992.

- Son coaliciones que no buscan o que no requieren del consenso de aquellos que no comparten ciertos principios básicos (como acabar con la deforestación de los trópicos derivada de la explotación de productos básicos) y que pueden utilizar su posición dentro del consenso de las instancias como el UNFF para minar y sabotear los avances;
- Son coaliciones con múltiples beneficiarios y gobiernos nacionales que comparten el poder de gestión y decisiones con los gobiernos

It is important to note that the declaration was not universally supported—some governments argue that it is preempting negotiating processes such as UNFCCC that have been agreed to by states. Some UN bodies felt they were insufficiently consulted. Some environmental activists find the targets too vague and question how corporations and governments will be held accountable if they do not meet their targets. Many felt that the process of developing and finalizing the text was not sufficiently transparent. That said, the NYDF seems to mark a potential turning point in how the UN tackles forests going forward. Processes like the NYDF are unlikely to displace treaties and formal UN policy deliberations—but they are going to have to be taken into account much more than in the past.

The Rights and Resources Initiative

The Rights and Resources Initiative (RRI) is a strategic coalition founded in 2005, with the support of development aid agencies and private foundations, that focuses on the relationship between land and resources ownership, access and control ("tenure"), sustainable natural resources management, and the livelihoods of indigenous and forest-dependent local communities. RRI goes beyond the traditional international development actors to involve a wide spectrum of organizations, including government, donor, forestry and land-management agencies, NGOs, and Indigenous Peoples' organizations. The fourteen RRI Partners and 150 collaborator organizations are directly engaged in land and forest policy reforms in close to twenty countries throughout Africa, Asia, and Latin America. A relatively small and young institution, RRI's influence over international policy dialogue on forest tenure and governance issues has been significant.

Global Forest Watch

Global Forest Watch (GFW) is a partnership of more than sixty organizations, hosted by the World Resources Institute (WRI), which in early 2014 launched the first near-real-time global forest monitoring platform. GFW leverages revolutionary advancements in remote sensing, cloud computing, social networking, and "citizen science" technologies to create something that could not have existed as recently as a decade ago. GFW is devoted to the principle of radical, democratic transparency in the creation, analysis, and dissemination of information about forest trends and conditions, ownership, management, conservation use, and restoration.

regionales, con la sociedad civil, con la iniciativa privada y con la industria, así como con los Pueblos Indígenas y otros. Los estados tienen un lugar en la mesa pero que no tienen una posición de poder;

- Son coaliciones que tienen una masa crítica de beneficiarios respetados, capaces de informar de manera decisiva e influenciar las políticas forestales nacionales e internacionales, así como los procesos políticos y las inversiones.

Los siguientes son ejemplos de iniciativas promisorias:

La Alianza Tropical Forestal 2020

Fundada en 2012 por el gobierno de Estados Unidos y por el Foro de Bienes de Consumo (CGF), el Foro Tropical Forestal (TFA) se instituyó para lograr los compromisos adquiridos por las empresas miembro de la CGF de eliminar de sus cadenas de abastecimiento los productos que ocasionan la deforestación por la explotación del aceite de palma, la soya, la carne y la pulpa de papel para diciembre del 2020. Estos compromisos se adquirieron en gran medida por la presión ejercida por las ONGs defensoras y por la creciente colaboración con las ONGs en el campo que continuamente descubren formas para que las empresas puedan realizar negocios sin perjudicar tanto a los bosques. Las empresas del CGF en colaboración con los Estados Unidos y otros gobiernos, concluyeron que hay ciertas cosas que solamente los gobiernos son capaces de hacer, como establecer y hacer cumplir las normas jurídicas, erradicar la corrupción, brindar certidumbre a la tenencia de la tierra y crear las políticas y condiciones regulatorias para incentivar la inversión privada en prácticas más sustentables para la tierra y los bosques.

En 2015, el Foro Económico Mundial (FEM) con sede en Ginebra (sitio de las Cumbres de Davos), se convirtió en el anfitrión permanente del Foro Tropical Forestal 2020 en donde una gran cantidad de gobiernos donantes anunciaron su apoyo financiero para la alianza y sus objetivos.

La Declaración de Nueva York sobre Bosques

La Declaración de Nueva York sobre Bosques (NYDF, por sus siglas en inglés) es una declaración jurídicamente no vinculante, apoyada por una coalición de gobiernos, empresas y ONGs. La declaración se formuló en el contexto de la Cumbre del Secretariado General de las Naciones Unidas sobre el Clima llevado a cabo en Nueva York

TEMPERATE FOREST | BOSQUE TEMPLADO
Du Cane Range | Rango Du Cane
Tasmania
PETER DOMBROVSKIS

durante septiembre del 2014. La declaración establece compromisos y metas para detener la deforestación, restaurar las tierras forestales degradadas y movilizar financiamiento hacia los países en desarrollo para auxiliarlos en lograr estas metas para el 2030. También reconoce la importancia de los derechos de los Pueblos Indígenas y su papel para alcanzar las metas de conservación y restauración.

La declaración fue producto de la misma coalición que había apoyado al TFA 2020 y que había utilizado la reunión anual del Foro Económico Mundial de Davos durante los últimos años para atraer mayor atención política a los bosques, en particular en el contexto del cambio climático. Si bien el contenido de la declaración brinda un importante punto de encuentro, es probable que la coalición de gobiernos, empresas, NGOs y representantes de los Pueblos Indígenas resulte ser lo más importante en el futuro.

Es importante notar que la declaración no fue apoyada de manera universal—algunos gobiernos argumentaron que se anticipa a algunos procesos de negociación como en el caso de la UNFCCC la cual ya ha sido acordada por los estados. Algunas entidades de la ONU resintieron no haber sido suficientemente consultadas. Algunos activistas ambientales consideran las metas demasiado vagas y cuestionaron la manera en que los gobiernos y las empresas se harían responsables si no alcanzaban las metas. Muchos consideraron que el proceso de redacción del texto final no fue lo suficientemente transparente. Dicho sea de paso, el NYDF parece marcar un punto de inflexión en la manera en que las Naciones Unidas abordará a los bosques en el futuro. Es muy probable que los procesos como la Declaración de Nueva York sobre Bosques no lleguen a suplantar los tratados ni las deliberaciones formales sobre políticas de la ONU, pero tendrán que ser tomadas en cuenta mucho más que en el pasado.

La Iniciativa sobre Derechos y Recursos

La Iniciativa sobre Derechos y Recursos (RRI por sus siglas en inglés) es una coalición estratégica fundada en 2005 que cuenta con el apoyo de las agencias de ayuda al desarrollo y de las fundaciones privadas que centran su atención en la relación entre recursos y tenencia de la tierra, acceso y control ("tenencia"), gestión sustentable de recursos naturales y en la subsistencia de los Pueblos Indígenas y de las comunidades locales dependientes del bosque. La RRI va más allá que los actores internacionales tradicionales involucrando a un gran espectro de organizaciones que incluyen a gobiernos, donadores,

As a coalition, GFW brings together established UN institutions such as FAO and UNEP, universities, space agencies like the National Aeronautics and Space Agency, on-the-ground users such as the Jane Goodall Institute, and leading technology firms such as Google, ESRI, Vizzuality, Digital Globe, and national forest agencies in countries like Brazil, the Democratic Republic of Congo, and Indonesia. It is also interesting as an institution because its pace of change is so rapid. Launched in February 2014, less than two years later it has many new functionalities and partners and is likely to transform even more rapidly in the next few years. Initial trepidation that governments and established global forest data institutions such as FAO and UNEP would be skeptical of—or even hostile to—Global Forest Watch has not been warranted.

INFORMATION TRANSPARENCY AND ACCOUNTABILITY

Facebook. YouTube. Twitter. Google Earth. Global Forest Watch. Skytruth. Transparency International. Transparent World. Digital Globe. Twenty-five years ago, none of those enterprises existed. Even within the accelerating pace of modern industrial history, this is just the blink of an eye. We are just beginning to sort out the implications for many aspects of politics, economics, and society, and certainly for forests.

Today, we can see what is happening to forests from space, in near real-time—high-resolution images that a decade ago were a highly classified government and military monopoly. This power provides forest activists with the ability not only to compel change in international institutions, but also, in some cases, to compete with and displace them where they impede or distract from efforts to save primary forests.

And just as the ability to comprehend, visualize, and articulate what is happening to forests has expanded dramatically, the platform for communicating that information has also grown exponentially. "The media" no longer describes a small set of large corporations running newspapers and radio and television networks. Today, the media is often an open-access resource with virtually nonexistent barriers to entry, as long as you have something to say that people want to hear.

These rapid changes invite reflection on three points related to primary forest conservation efforts:

Message, Not the Media, Is the Greatest Challenge

Devise a compelling and unified message that can actually unite and mobilize action on primary forests, whether focused on global

a las agencias forestales y de ordenación territorial, a ONGs y a las organizaciones de los Pueblos Indígenas. Son catorce socios y 150 organizaciones colaboradoras los que están trabajando directamente en las reformas a las políticas forestales y tenencia de la tierra en cerca de veinte países en toda África, Asia y América Latina. A pesar de ser una institución relativamente pequeña y joven, la influencia de la RRI en el diálogo sobre temas de política forestal internacional, tenencia de la tierra y gobernanza ha sido significativa.

El Global Forest Watch

El Global Forest Watch (GFW) es una alianza de más de sesenta organizaciones reunidas por el Instituto de Recursos Mundiales (WRI, por sus siglas en inglés) que a principios de 2014 lanzó la primer plataforma global de monitoreo forestal que transmite casi en tiempo real. Apoyada en los revolucionarios avances de los sensores remotos, la nube informática, las redes sociales y las tecnologías basadas en la "ciencia cívica", la GFW creó algo que hace diez años no hubiera sido posible. La organización está comprometida con un principio radical: la transparencia democrática para la creación, análisis y difusión de información sobre las tendencias de las condiciones, tenencia, gestión, conservación y restauración de los bosques

Como coalición, la GFW reúne a instituciones de la ONU como la FAO, el PNUMA, a universidades, agencias espaciales como la NASA, usuarios como el Instituto Jane Goodall y firmas tecnológicas líderes como Google, ESRI, Vizzuality, Digital Globe y las agencias forestales nacionales de países como Brasil, la República Democrática del Congo e Indonesia. Además, como institución resulta interesante por su rápido ritmo de cambio. Fundada en febrero de 2014, dos años más tarde ya desempeña un gran número de funciones y socios. Seguramente se transformará con mayor rapidez en los próximos años.

INFORMACIÓN, TRANSPARENCIA Y RENDICIÓN DE CUENTAS

Facebook. YouTube. Twitter. Google Earth. Global Forest Watch. Skytruth. Transparency International. Transparent World. Digital Globe. Hace veinte años no existía ninguna de estas empresas. Incluso con el acelerado ritmo de la historia industrial moderna, todo fue en un abrir y cerrar de ojos, y apenas estamos empezando a ver sus implicaciones en aspectos políticos, económicos y sociales. Y por supuesto esto aplicará también para los bosques.

Hoy podemos ver desde el espacio lo que sucede en los bosques

challenges or a local cause, and the tools to get that message out there are yours for the taking.

Increased Transparency Challenges States' Monopoly on Forest Information

Information on forest trends and conditions (like deforestation rates) used to be the monopoly of governments and mandated intergovernmental organizations like FAO and UNEP, and also of a few international NGOs. This information was generally presented in periodic reports that were always out of date by the time they were available. Today, a great deal of forest information—geospatial data, but also information about supply chains, investments, and business transactions—is equally available to anyone with an Internet connection and the skills to find and interpret it.

The wall between "official" and "unofficial" information is crumbling, and it appears that ultimately, there will be no more "official" information, just good or bad information, and everyone will have access to it. This does not mean that official channels for presenting and disseminating forest information will disappear. To the contrary, they are likely to become more influential once their credibility can be independently verified by any party skeptical of the official line.

Increased Transparency and Accessibility of Information Increases Accountability

Supply chains for wood, paper, and commodities like soy and palm oil, which drive deforestation, are increasingly visible to activists, regulators, law enforcement officials, and corporate competitors. Transparency provides a key tool for ensuring that private sector production systems and supply chains are not encouraging deforestation, degradation, or illegal logging. But the same methods can be used to assess the veracity of government claims related to forest management, and even the performance of forest conservation initiatives.

"POWER CONCEDES NOTHING WITHOUT A DEMAND"

The nineteenth-century American author and abolitionist Frederick Douglass wrote: "Power concedes nothing without a demand. It never has and it never will." Much has changed since the mid-nineteenth century, but not the wisdom of Douglass's observation.

Partnerships, commitments, and cooperation are extremely important, and there are some promising new models for cooperative action

casi en tiempo real—hace una década, las imágenes de alta resolución eran monopolizadas por gobiernos y militares. Lo anterior permite a los activistas forestales no solamente exigir un cambio en las instituciones internacionales, sino además en algunos casos competir y desplazarlos cuando éstas obstaculizan o distraen las iniciativas para salvar al bosque primario.

Justo cuando se expande dramáticamente la capacidad para comprender, visualizar y articular lo que acontece en los bosques, la plataforma para transmitir esa información crece exponencialmente. Las redes de "medios" ya no son sólo un pequeño grupo de grandes corporaciones propietarias de los diarios, la radio y la televisión. Hoy por hoy, los medios son un recurso de acceso libre y virtualmente sin barreras, siempre y cuando lo que se dice ahi sea algo que le interese a la gente.

Estos grandes cambios invitan a la reflexión sobre tres puntos relacionados con los esfuerzos para conservar los bosques primarios:

El Mayor Reto no son los Medios sino el Mensaje

Las herramientas para transmitir los mensajes ya están disponibles, en realidad la tarea consiste en concebir un mensaje unificado y convincente capaz de movilizar iniciativas sobre los bosques primarios, ya sea con el énfasis en los desafíos globales o en las causas locales.

Mayor Transparencia como Reto al Monopolio del Estado sobre la Información Forestal

La información sobre las tendencias de las condiciones de los bosques (como las tasas de deforestación) solían estar monopolizadas por los gobiernos y organizaciones intergubernamentales como la FAO y el PNUMA, así como algunas ONGs internacionales. Posteriormente, esta información, ya caduca, era reportada periódicamente. Actualmente, una gran cantidad de información forestal—datos geoespaciales e información sobre inversión, transacciones comerciales y cadenas de abastecimiento—están disponibles para cualquiera que disponga una conexión a Internet y que tenga la competencia para encontrarla e interpretarla.

La pared entre la información "oficial" y la "no-oficial" se está derrumbando y parece ser que al final la "información oficial" dejará de existir, solo habrá buena y mala información, accesible para todos. Lo anterior no significa que desaparecerán los canales oficiales de presentación y difusión de información forestal. Por el contrario, es

emerging, powered by the information revolution and the transparency it makes possible. But, still, power concedes nothing without a demand. The consumer goods companies in the TFA 2020, who came to the table in 2010 with their pledge to end tropical deforestation in their commodity supply chains by 2020, did so mainly because well-organized environmental advocacy groups, backed with solid data and an aggressive media strategy, called on consumers to hold companies accountable for the destruction of tropical forests that their products were directly causing.

Such commitments have been driven in large part by enlightened self-interest of a handful of major companies. Enlightened self-interest requires leadership, and a growing number of companies are rising to that challenge. In the first instance, however, it was confrontation and exposure—not offers of partnership and cooperation—that brought them to the table.

The increased transparency provided by turbo-charged and democratized remote sensing, citizen-monitoring technologies, and new wonders appearing every day can truly shift the balance of power away from those who would destroy the world's remaining primary forests and toward those who would save them. But technology is not enough; transparency, on its own, does little if not acted on. Actionable intelligence requires action to yield results.

Ultimately, diplomacy, technology, partnership, and information are tools, not ends in themselves. Impact requires action. Action must now be guided by the urgent need to prioritize primary forests in the international system and with a corresponding shift away from the "all types of forests" approach, which has so often allowed primary forests to continue to be destroyed and degraded. Action must also be guided by those measures that have demonstrated capacity to keep primary forests intact, in other words indigenous and community conservation initiatives, protected areas of all governance types, and payments for ecosystem services. Scaling up these activities is urgent. Industrial activity, including logging with best practices, is not compatible with protection of primary forests and their many values. And finally, action on primary forests must be guided by an ethical vision, a moral compass.

Pope Francis had something to say about this in his June 2015 encyclical, *On Care for Our Common Home,* in which he summed up the moral and ethical challenge people of all faiths face with respect to the crisis facing primary forests:

probable que adquieran mayor influencia una vez que su veracidad pueda ser verificada de manera independiente por cualquiera que desconfíe del oficialismo.

A Mayor Transparencia y Accesibilidad a la Información, Mejor Rendición de Cuentas

La cadena de abastecimiento de madera, de papel y de productos básicos como la soya y el aceite de palma que inducen la deforestación son cada vez más visibles para los activistas, los reguladores, los agentes del orden público y para las corporaciones competidoras. Esta transparencia es el mecanismo clave para que el aseguramiento de los sistemas de producción del sector privado y de las cadenas de abastecimiento no alienten la deforestación, la degradación o la tala ilegal. Este mismo método puede ser utilizado para evaluar las declaraciones gubernamentales sobre la gestión forestal, inclusive en el desempeño de las iniciativas de conservación de los bosques.

"EL PODER NO CONCEDE NADA SIN DEMANDA"

El autor norteamericano y abolicionista del siglo diecinueve Frederick Douglass escribió: "El poder no concede nada sin demanda. Nunca lo ha hecho ni lo hará". Desde entonces, las cosas han cambiado mucho, pero no es así con la sabiduría de la observación de Douglass.

Las alianzas, los compromisos y la cooperación son extremadamente importantes y están surgiendo algunos modelos de trabajo cooperativo muy prometedores posibilitados e impulsados por la revolución informática y por la transparencia. Sin embargo, el poder no concede nada sin demanda. Las empresas productoras de bienes de consumo que vinieron a la mesa en el 2010 en el Foro Tropical Forestal 2020 a comprometerse a acabar con la deforestación tropical en sus cadenas de abastecimiento, lo hicieron porque los bien organizados grupos de defensa del medio ambiente llamaron la atención de los consumidores mediante agresivas estrategias de medios fundamentadas en información sólida, señalando como responsables de la destrucción de los bosques tropicales a estas empresas productoras.

Este tipo de compromisos han sido producto en gran parte del interés inteligente de un puñado de grandes empresas. La inteligencia en el interés propio requiere de liderazgo. Un creciente número de empresas están enfrentando este reto, aunque haya sido la confrontación y la denuncia en primera instancia—y no las ofertas de alianza o cooperación—lo que los trajo a la mesa de negociación.

It is not enough, however, to think of different species merely as potential "resources" to be exploited, while overlooking the fact that they have value in themselves. Each year sees the disappearance of thousands of plant and animal species, which we will never know, which our children will never see, because they have been lost forever. The great majority become extinct for reasons related to human activity. Because of us, thousands of species will no longer give glory to God by their very existence, nor convey their message to us. We have no such right.

CHARLES VICTOR BARBER

La mayor transparencia impulsada por la democratización de la poderosa detección remota y de las tecnologías de supervisión ciudadana, además de las nuevas maravillas que aparecen día con día, son todas verdaderamente capaces de cambiar la correlación de fuerzas entre quienes destruyen los últimos remanentes de los bosques primarios y los que los salvarán. Sin embargo, la tecnología sola no es suficiente; la transparencia por sí misma no es suficiente sin la acción consecuente. La inteligencia reactiva requiere de acciones para rendir resultados.

Al final, la diplomacia, la tecnología, las alianzas y la información no son más que herramientas, no el fin último. Los impactos requieren de acciones. Ahora, las acciones deben estar orientadas por la urgente necesidad de priorizar a los bosques primarios en el sistema internacional, omitiendo la actual visión de "todo tipo de bosques" que con demasiada frecuencia ha permitido la persistencia de su destrucción y degradación. Las iniciativas a su vez deben ser orientadas hacia aquellas medidas que han demostrado su capacidad para conservar los bosques intactos, es decir, las iniciativas de conservación de los Pueblos Indígenas y de las comunidades, las áreas protegidas con todo tipo de gobernanza y el pago por los servicios de los ecosistemas. El escalamiento de estas iniciativas es urgente. Las actividades industriales como la tala con mejores prácticas no son compatibles con la protección de los bosques y todos sus bienes. Finalmente, las acciones sobre los bosques primarios deben guiarse por una visión ética y por una brújula moral.

Al respecto, el Papa Francisco dijo algo en junio de 2015 en la Encíclica sobre el Cuidado de la Casa Común en donde resume los desafíos morales y éticos que enfrentan las personas de todas las creencias con respecto de la crisis que atraviesan los bosques primarios.

> Pero no basta pensar en las distintas especies sólo como eventuales «recursos» explotables, olvidando que tienen un valor en sí mismas. Cada año desaparecen miles de especies vegetales y animales que ya no podremos conocer, que nuestros hijos ya no podrán ver, pérdidas para siempre. La inmensa mayoría se extinguen por razones que tienen que ver con alguna acción humana. Por nuestra causa, miles de especies ya no darán gloria a Dios con su existencia ni podrán comunicarnos su propio mensaje. No tenemos ese derecho".

CHARLES VICTOR BARBER

TROPICAL FOREST BIOME

Tropical forests are those that lie between the latitude lines of the Tropic of Cancer and the Tropic of Capricorn, including adjacent subtropical areas. There are slightly more than 2 billion hectares of tropical forest, a bit more than half of the global forest estate. It is estimated that only one-fourth of that extent is primary forest. Tropical forests encompass an extraordinarily diverse range of forest types, which include moist broadleaf forests but also dry broadleaf, mixed, and conifer forests. Other less visible but similarly important tropical forest types encompass the immense variety of dry forests, rare cloud and elfin forests, mangroves, and transitions from forests and woodlands to tropical grasslands. The largest expanses of tropical forest are found in South America, the Congo Basin, parts of South and Southeast Asia, and the island of New Guinea. Primary tropical forests harbor a disproportionately large share of global biodiversity, perhaps as much as two-thirds or more, despite occupying only some 7 percent of the planet's land surface. Tragically, they are also acutely threatened. A stunning 195 million hectares have been lost between 1990 and 2015, an area roughly the size of the entire country of Mexico. There can be no doubt that the future of the diversity of life on Earth is intricately linked to the fate of primary tropical forests. The same holds true for last Indigenous Peoples living in voluntary isolation who depend on large and remote primary forests for their livelihoods, culture, and survival.

EL BIOMA BOSQUE TROPICAL

Los bosques tropicales son aquellos que se encuentran entre las latitudes de los Trópicos de Cáncer y de Capricornio, incluyendo las regiones subtropicales adyacentes. Constan de un poco más de 2 millones de hectáreas, que representan poco más de la mitad de todo el patrimonio forestal. Se estima que sólo una cuarta parte de la superficie son bosques primarios. Los bosques tropicales comprenden una extraordinaria diversidad de bosques que incluyen a los bosques latifoliados lluviosos y secos, bosques mixtos y bosques de coníferas. Otros tipos de bosques menos visibles pero de igual importancia constan de una inmensa variedad de bosques secos caducifolios y semi-caducifolio, los raros bosques nublados y los bosques enanos, los manglares y las zonas de transición boscosas y selváticas, así como los pastizales tropicales. Las zonas de bosque tropical más extensas se encuentran en Sudamérica y en el Congo, algunas partes del Sureste Asiático y en Nueva Guinea. Los bosques tropicales albergan a una parte desproporcionada de la biodiversidad mundial, quizás tantos como las dos terceras partes o más, a pesar de ocupar alrededor del siete por ciento de la superficie terrestre del planeta. Es trágico que estos bosques también se encuentran en grave peligro. Hasta 195 millones de hectáreas se han perdido entre 1990 y 2015, una superficie del tamaño de México. No deben existir dudas de que el futuro de la diversidad de la vida en la Tierra está intrínsecamente ligada al destino de los bosques tropicales primarios. Lo mismo aplica para los últimos Pueblos Indígenas que viven aislados de manera voluntaria y que dependen de grandes extensiones remotas de bosques primarios para su subsistencia, su cultura y su supervivencia.

Pongo pygmaeus wurmbii
Bornean orangutan | Orangután de Borneo
Tanjung Puting National Park, Central Kalimantan, Borneo | Parque Nacional Tanjung Puting, Kalimantan Central, Borneo
Indonesia

JÜRGEN FREUND

PRECEDING PAGES/PÁGINAS ANTERIORES
Tikal National Park, Petén | Parque Nacional Tikal, Petén
Guatemala

JAIME ROJO

Pharomachrus mocinno | Resplendent quetzal | Quetzal
El Triunfo Biosphere Reserve, Chiapas |
Reserva de la Biosfera El Triunfo, Chiapas
Mexico | México

FULVIO ECCARDI

Propithecus tattersalli
Golden-crowned sifaka | Sifaka de Tattersall
Near Andranotsimaty | Cerca de Andranotsimaty
Madagascar

NICK GARBUTT

FOLLOWING PAGES/PÁGINAS SIGUIENTES
Acacia forest | Bosque de acacia
Ngorongoro Crater | Cráter de Ngorongoro
Tanzania

ART WOLFE/ARTWOLFE.COM

Paradisaea apoda
Greater bird of paradise | Ave del paraíso mayor
Wokam Island | Isla Wokam
Indonesia
TIM LAMAN

Tragelaphus eurycerus | Bongo | Bongo
Odzala-Kokoua National Park |
Parque Nacional de Odzala-Kokoua
Republic of the Congo | República del Congo
PETE OXFORD

Essequibo River region | Región del Río Essequibo
Guyana
PETE OXFORD

Ateles paniscus | Black spider monkey | Mono araña negro
Suriname | Surinam
RUSSELL A. MITTERMEIER

Clusia grandiflora | Clusia | Clusia
Suriname | Surinam
PIOTR NASKRECKI

PRECEDING PAGES/PÁGINA ANTERIORES
Danum Valley, Sabah, Borneo |
Valle de Danum, Sabah, Borneo
Malaysia | Malasia
NICK GARBUTT

Harenna Forest, Bale Mountains National Park |
Bosque Harenna, Parque Nacional de las Montañas Bale
Ethiopia | Etiopía
ROBIN MOORE

Corcovado National Park | Parque Nacional Corcovado
Costa Rica

EMMANUEL RONDEAU

FOLLOWING PAGES/PÁGINAS SIGUIENTES
Pine-oak forest | Bosque de Pino Encino
Chichinautzin Biological Corridor, Morelos |
Corredor Biológico Chichinautzin, Morelos
Mexico | México

JAIME ROJO

Mandrillus sphinx | Mandrill | Mandril
Lope National Park | Parque Nacional de Lope
Gabon | Gabón

FIONA ROGERS/NATUREPL.COM

< Moukalaba-Doudou National Park |
Parque Nacional de Moukalaba-Doudou
Gabon | Gabón

CARLTON WARD JR

PRECEDING PAGES/PÁGINAS ANTERIORES
Taxodium mucronatum
Montezuma cypress | Ciprés Moctezuma
San Pedro Mezquital River, Durango |
Río San Pedro Mezquital, Durango
Mexico | México

JAIME ROJO

Panthera onca | Jaguar
Cuiaba River | Río Cuiabá
Brazil | Brasil

PETE OXFORD

Colobus guereza caudatus
Eastern black-and-white colobus monkey |
Colobo guereza
Aberdare National Park | Parque Nacional de Aberdare
Kenya | Kenia
EMMANUEL RONDEAU

Near the Panama Canal | Cerca del Canal de Panamá
Panama | Panamá

CHRISTIAN ZIEGLER

< *Encyclia prismatocarpa* | Orchid | Orquídea
Near Cerro Punta | Cerca de Cerro Punta
Panama | Panamá

CHRISTIAN ZIEGLER

Honey gatherer | Recolector de miel
Sundarbans, Khulna
Bangladesh

TIM LAMAN

Nandroya Waterfall | Catarata Nandroya
Wooroonooran National Park, Queensland |
Parque Nacional Wooroonooran, Queensland
Australia

JÜRGEN FREUND

Ficus sp. | Fig | Higo
Tiputini Biodiversity Station, Orellana |
Estación de Biodiversidad Tiputini, Orellana
Ecuador

TIM LAMAN

Amblyornis flavifrons
Yellow-fronted bowerbird | Tilonorrinco de frente amarilla
Foja Mountains | Montañas Foja
Indonesia

TIM LAMAN

< Foja Mountains | Montañas Foja
Indonesia

TIM LAMAN

Bambendjelle woman | Mujer Bambendjelle
Democratic Republic of the Congo |
República Democrática del Congo
MICHAEL NICHOLS/NAT GEO CREATIVE

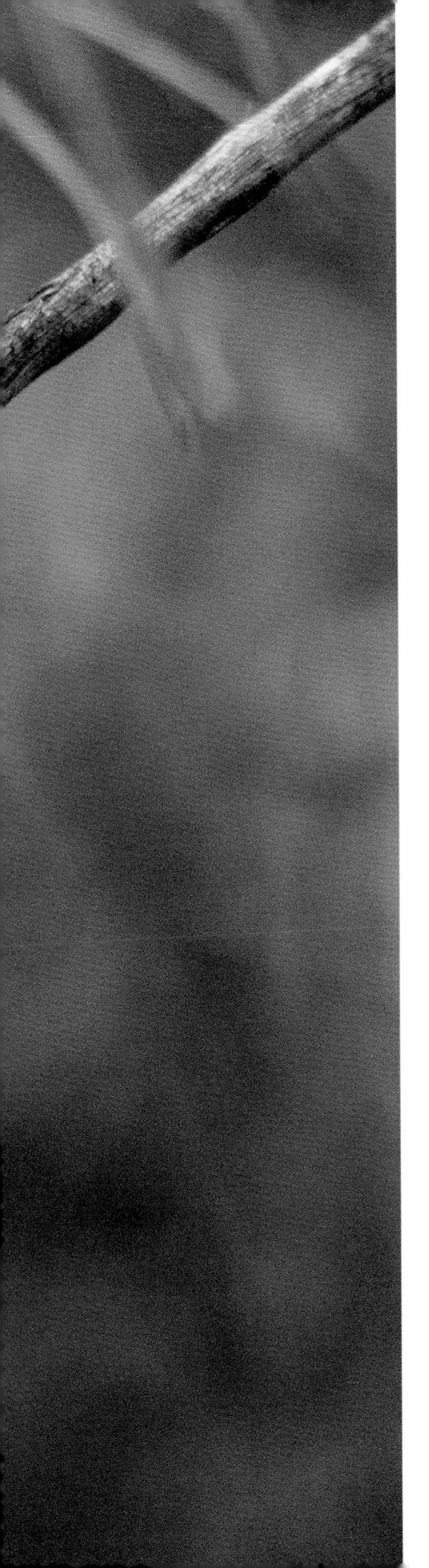

Pteroglossus torquatus
Collared aracari | Arasarí cuellinegro
Calakmul, Campeche
Mexico | México
IVÁN GABALDÓN

FOLLOWING PAGES/PÁGINAS SIGUIENTES
Dracaena cinnabari
Dragon's blood tree | Árbol de sangre de dragón
Socotra
Yemen
MICHAEL MELFORD

Bradypus variegatus tridactylus
Three-toed sloth | Perezoso de tres dedos
French Guiana | Guyana Francesa
STEFANO UNTERTHINER

Panthera tigris tigris | Bengal tiger | Tigre de Bengala
Bandhavgarh National Park, Madhya Pradesh |
Parque Nacional de Bandhavgarh, Madhya Pradesh
India

STEVE WINTER

Micrurus obscurus | Coral snake | Serpiente de coral
Manu National Park | Parque Nacional del Manu
Peru | Perú
ART WOLFE/ARTWOLFE.COM

South coast, Bioko Island | Costa sur, Isla de Bioko
Equatorial Guinea | Guinea Ecuatorial

TIM LAMAN

Gorge of the Rio Iladyi, Bioko Island | Garganta del Río Iladyi, Isla de Bioko
Equatorial Guinea | Guinea Ecuatorial

TIM LAMAN

PRECEDING PAGES/PÁGINA ANTERIORES
Chiribiquete National Natural Park |
Parque Nacional Natural Sierra de Chiribiquete
Colombia

FRANCISCO FORERO BONELL

Trachypithecus geei | Golden langur | Langur dorado
Chakrashila Wildlife Sanctuary, Assam |
Santuario de fauna Chakrashila, Assam
India

SANDESH KADUR/FELIS

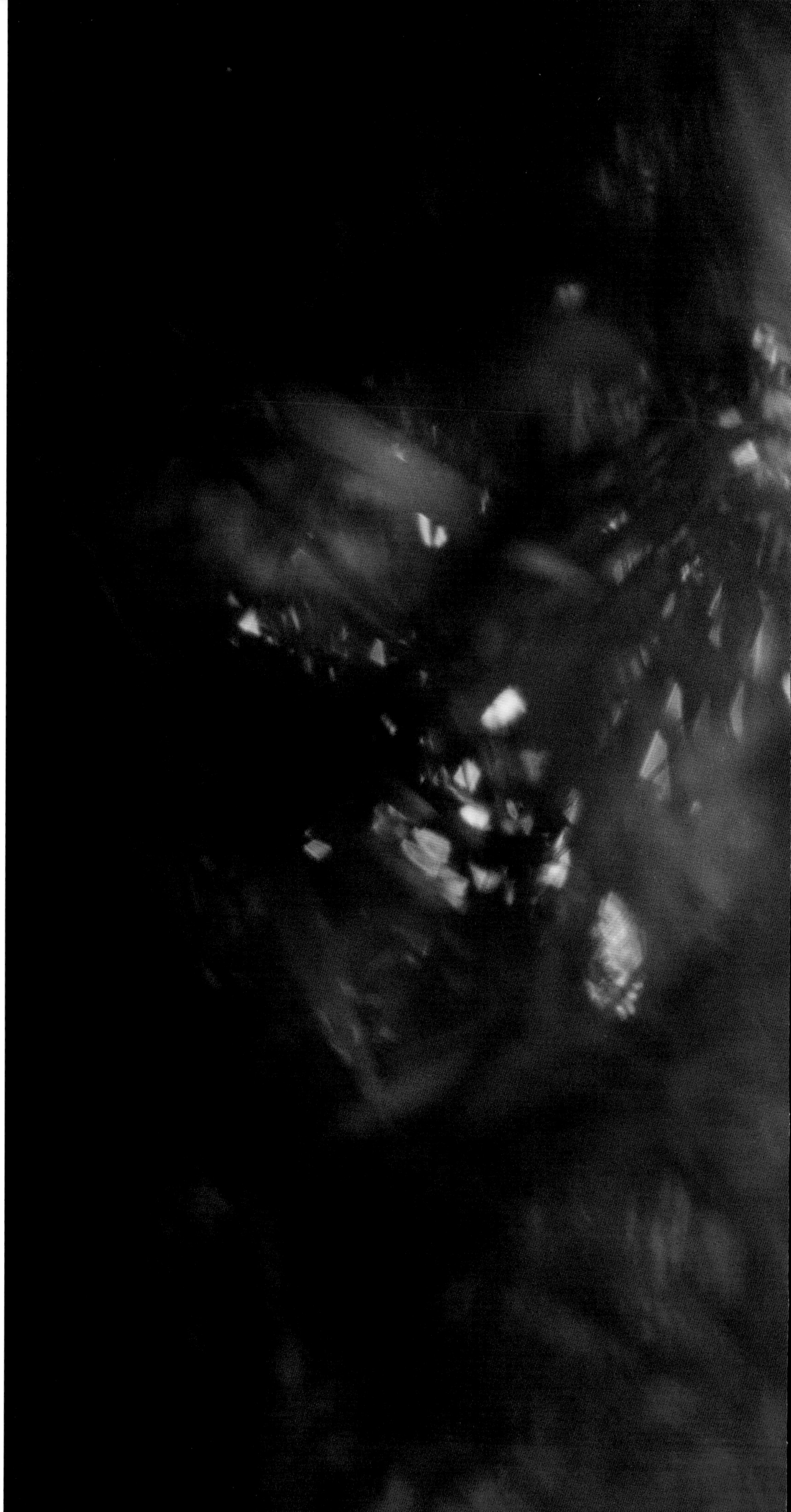

Phyllomedusa bicolor
Giant monkey frog | Rana bicolor
Suriname | Surinam
PIOTR NASKRECKI

Phallus sp. | Veiled fungus | Hongo de velo
Sri Lanka

ELIO DELLA FERRERA/NATUREPL.COM

Gorilla gorilla gorilla
Western lowland gorilla |
Gorila occidental de tierras bajas
Odzala-Kokoua National Park |
Parque Nacional de Odzala-Kokoua
Republic of the Congo | República del Congo
PETE OXFORD

Tremarctos ornatus | Spectacled bear | Oso de anteojos
Maquipucuna Cloud Forest Reserve, Pichincha |
Reserva de Bosque Nublado Maquipucuna, Pichincha
Ecuador

PETE OXFORD

Nasalis larvatus | Proboscis monkey | Mono narigudo
Lower Kinabatangan Wildlife Sanctuary, Borneo
Santuario de Vida Silvestre Bajar Kinabatangan, Borneo
Malaysia | Malasia
TIM LAMAN

Pithecophaga jefferyi
Philippine eagle | Águila filipina
Mindanao Island | Isla de Mindanao
Philippines | Filipinas
KLAUS NIGGE

Atlantic Forest, Carlos Botelho State Park |
Parque estatal Carlos Botelho, Bosque Atlántico
Brazil | Brasil

LUCIANO CANDISANI/MINDEN PICTURES/NAT GEO CREATIVE

Leontopithecus rosalia | Golden lion tamarin | Tití león dorado
Poco das Antas Biological Reserve, Rio de Janeiro |
Reserva Biológica Poço das Antas, Río de Janeiro
Brazil | Brasil

HAROLDO PALO

Elephas maximus indicus | Indian elephant | Elefante indio
Introduced for logging in the 1960s |
Introducido para la explotación forestal en los años sesenta
Havelock Island, Andaman Islands |
Havelock Island, Islas Andamán
India

JODY MACDONALD

Hypsilurus modestus
Modest forest dragon | Lagarto de bosque
Muller Range, New Britain | Rango Muller, Nueva Bretaña
Papua New Guinea | Papúa Nueva Guinea
PIOTR NASKRECKI

Sierra de San Pedro Mártir National Park, Baja California |
Parque Nacional Sierra de San Pedro Mártir, Baja California
Mexico | México

CLAUDIO CONTRERAS KOOB

Bwindi Impenetrable National Park |
Parque Nacional Bwindi Impenetrable
Uganda
TOM SCHANDY

Harpia harpyja | Harpy eagle | Águila arpía
Carajas National Forest | Bosque Nacional Carajas
Brazil | Brasil
JOÃO MARCOS ROSA

Big Island, Hawaii | Isla Grande, Hawái
United States of America | Estados Unidos de América

PETE RYAN/NAT GEO CREATIVE

FOLLOWING PAGES/PÁGINAS SIGUIENTES
Virunga National Park | Parque Nacional de Virunga
Democratic Republic of the Congo |
República Democrática del Congo

BRENT STIRTON

Morpho achilles
Blue morpho butterfly | Mariposa morpho azul
Madidi National Park | Parque Nacional Madidi
Bolivia
JOEL SARTORE

About the Authors | Acerca de los Autores

TILMAN JAEGER joined the United Nations after earning two master's degrees based on fieldwork in the Central African Republic and China, respectively. Subsequently, he led a conservation project in Mongolia prior to joining the International Union for Conservation of Nature (IUCN). Tilman is currently based in Brazil as an independent consultant and advisor to IUCN's World Heritage Programme.

CYRIL F. KORMOS is Vice President for Policy at the WILD Foundation, IUCN-WCPA Vice Chair for World Heritage, Chair of the IUCN-WCPA World Heritage Specialist Group, and a visiting scholar at the University of California, Berkeley. He holds a BA in English from the University of California, Berkeley, an MSc in Politics of the World Economy from the London School of Economics, and a JD from George Washington University.

BRENDAN MACKEY is Director of the Climate Change Response Program at Griffith University, Australia. He has a PhD in environmental biogeography from the Australian National University. He currently serves on the IUCN Council.

RUSSELL A. MITTERMEIER, PhD, is Executive Vice Chair of Conservation International and the organization's former president (1989–2014). A longtime member of the IUCN-SSC's Steering Committee, he serves as Chair of SSC's Primate Specialist Group. An expert on primates, reptiles, and tropical forest biodiversity, Mittermeier has visited rain forests in some eighty countries, and has carried out fieldwork in more than thirty, with a particularly strong focus on Brazil, the Guianas, and Madagascar.

Saltuarius eximius | Leaf-tailed gecko | Gecko de cola de hoja
Cape Melville National Park, Queensland |
Parque Nacional Cabo Melville, Queensland
Australia

TIM LAMAN

TILMAN JAEGER ingresó a las Naciones Unidas después de obtener dos maestrías cuyo trabajo de campo se basó en la República Centroafricana y en China respectivamente. Posteriormente encabezó un proyecto de conservación en Mongolia, antes de ingresar a la Unión Internacional para la Conservación de la Naturaleza (UICN). Actualmente se desempeña en Brasil como consultor independiente y como asesor del Programa del Patrimonio Mundial de la UICN.

CYRIL F. KORMOS es Vicepresidente de Políticas de la Fundación WILD; Vicepresidente del Patrimonio Mundial de la UICN-CMAP y Director del Grupo de Especialistas del Patrimonio Mundial de la UICN—CMAP. Profesor visitante de la Universidad de California en Berkeley. Obtuvo su licenciatura en Lengua Inglesa de la Universidad de California en Berkeley y es Maestro en Ciencias Políticas de Economía Mundial de la London School of Economics y el Doctorado en Jurisprudencia de la Universidad George Washington.

BRENDAN MACKEY es Director del Programa de Respuesta al Cambio Climático de la Universidad de Griffith, en Australia. Obtuvo su Doctorado en Biogeografía Medioambiental de la Universidad Nacional de Australia. Actualmente es Consejero de la UICN.

EL DR. RUSSELL A. MITTERMEIER es Vicepresidente Ejecutivo de Conservation International y Expresidente (1989–2014) de la organización. Es miembro decano del Comité Directivo de la Comisión de Supervivencia de la UICN y actualmente funge como Presidente del Grupo de Especialistas en Primates de la SSC. El Dr. Mittermeier es experto en primates, reptiles y biodiversidad forestal tropical y ha llevado a cabo gran cantidad de trabajos de campo en más de treinta países, visitado el bosque lluvioso en alrededor de ochenta países, con interés particular en Brasil, las Guayanas y Madagascar.

Contributing Authors | Autores Participantes

PATRICK ALLEY
Director, Global Witness
Director de Global Witness

JONATHAN E. M. BAILLIE
Director of Conservation Programmes, Zoological Society of London
Director del Programa de Conservación de la Sociedad Zoológica de Londres

CHARLES VICTOR BARBER
Director, Forest Legality Alliance and Government Relations, Forests Program, World Resources Institute
Director de Legality Alliance y de Relaciones Gubernamentales del Programa Forestal del Instituto de Recursos Mundiales

JOHNSON CERDA
Director, DGM Global Executing Agency, Conservation International
Director de DGM Global Executing Agency, Conservation International

DON CHURCH
President, Global Wildlife Conservation
Presidente de Global Wildlife Conservation

DOMINICK A. DELLASALA
Chief Scientist and President, Geos Institute
Director Científico y Presidente del Geos Institute

SEAN FOLEY
The Samdhana Institute, Indonesia
El Instituto Samdhana, Indonesia

SUSAN GOULD
Adjunct Research Fellow, Griffith Climate Change Response Program
Investigador Asociado Adjunto del Griffith Climate Change Response Program

D. SIMON JACKSON
Founder, Spirit Bear Youth Coalition, and Co-founder Ghost Bear Photography
Fundador, Spirit Bear Youth Coalition y Cofundador, Ghost Bear Photography

NOËLLE F. KÜMPEL
Programme Manager, Conservation Policy, Zoological Society of London
Gerente de Programa de Políticas de Conservación de la Sociedad Zoológica de Londres

WILLIAM F. LAURANCE
Distinguished Research Professor and Australian Laureate, Prince Bernhard Chair in International Nature Conservation, and Director, Centre for Tropical Environmental and Sustainability Science (TESS), James Cook University
Profesor Investigador Distinguido y Australiano Galardonado, Director Prince Bernhard del International Nature Conservation y Director del Centre for Tropical Environmental and Sustainability Science (TESS) de la James Cook University

VINCE McELHINNEY
Senior Director, Social Policy and Practice, Conservation International
Director Decano de Social Policy and Practice, Conservation International

BERNARD MERCER
Mercer Environment Associates, and Founder and Chairman of the Natural History Book Service (NHBS)
Mercer Environment Associates, Fundador y Director del Natural History Book Service (NHBS)

KRISTEN WALKER PAINEMILLA
Senior Vice President and Managing Director, Policy Center for Environment and Peace, Conservation International
Vicepresidente Decano y Director General del Policy Center for Environment and Peace, Conservation International

WES SECHRESTO
Chief Scientist and CEO, Global Wildlife Conservation
Científico en Jefe y Director Ejecutivo de Global Wildlife Conservation

SUSAN STONE
Senior Director, Special Initiatives, Policy Center for Environment and Peace, Conservation International
Directora Principal de Special Initiatives , Policy Center for Environment and Peace, Conservation International

JIM THOMAS
Director, Tenkile Conservation Alliance
Director de Tenkile Conservation Alliance

WILL R. TURNER
Senior Vice President, Global Strategy and Chief Scientist, Conservation International
Vicepresidente Principal de Global Strategy y Director Científico de Conservation International

VIRGINIA YOUNG
Director International Forest and Climate, Australian Rainforest Conservation Society
Directora de International Forest and Climate de la Australian Rainforest Conservation Society

BARBARA ZIMMERMAN
Director, Kayapó Project, International Conservation Fund of Canada, and Environmental Defense Fund
Directora del Proyecto Kayapó del International Conservation Fund of Canada y del Environmental Defense Fund

References | Referencias

Abernethy, Katherine A., Lauren Coad, Gemma Taylor, Michelle E. Lee, and Fiona Maisels. "Extent and Ecological Consequences of Hunting in Central African Rainforests in the Twenty-First Century." *Philosophical Transactions of the Royal Society B* 368 (2013): 20120303.

Aragão, Luiz E. O. C. "The Rainforest's Water Pump." *Nature* 489 (2012): 217-218.

Barlow, Jos, Toby A. Gardner, Julio Louzada, and Carlos A. Peres. "Measuring the Conservation Value of Tropical Primary Forests: The Effect of Occasional Species on Estimates of Biodiversity Uniqueness." *PLOS ONE* (2010). DOI: 10.1371/journal.pone.0009609.

Bawa, Kamaljit S., and Reinmar Seidler. "Natural Forest Management and Conservation of Biodiversity in Tropical Forests." *Conservation Biology* 12 (1997): 46-55.

Benedick, S., J. K. Hill, N. Mustaffa, V. K. Chey, M. Maryati, J. B. Searle, M. Schilthuizen, and K . C. Hamer. "Impacts of Rain Forest Fragmentation on Butterflies in Northern Borneo: Species Richness, Turnover and the Value of Small Fragments." *Journal of Applied Ecology* 43 (2006): 967-977. DOI: 10.1111/j.1365-2664.2006.01209.x.

Blake, Stephen, Sharon L. Deem, Eric Mossimbo, Fiona Maisels, and Peter Walsh. "Forest Elephants: Tree Planters of the Congo." *Biotropica* 41 (2009) 41 (4): 459-468.

Bradshaw, Corey J. A., and Ian G. Warkentin. "Global Estimates of Boreal Forest Carbon Stocks and Flux." *Global and Planetary Change* 128 (2015): 24-30.

Bradshaw, Corey J. A., Navjot S. Sodhi, and Barry W. Brook. "Tropical Turmoil: A Biodiversity Tragedy in Progress." *Frontiers in Ecology and the Environment* 7 (2): 79-87.

Brown, Sandra, and Daniel Zarin. "What Does Zero Deforestation Mean?" *Science* 342 (2013): 805-807.

Chikhi, Tania Minhós Lounès, Cláudia Sousa, Luis M. Vicente, Maria Ferreira da Silva, Rasmus Heller, Catarina Casanova, and Michael W. Bruford. "Genetic Consequences of Human Forest Exploitation in Two Colobus Monkeys in Guinea Bissau." *Biological Conservation* 194 (2016): 194-208.

De Koning F., M. Aguin, M. Bravo, M. Chiu, M. Lascano, T. Lozada, and L. Suarez. "Bridging the Gap between Forest Conservation and Poverty Alleviation: The Ecuadorian Socio Bosque Program." *Environmental Science and Policy* 14 (2011): 531-542.

Fauset, Sophie, Michelle O. Johnson, Manuel Gloor, *et al.*, "Hyperdominance in Amazonian Forest Carbon Cycling," *Nature Communications* 6 (2015): 6857. DOI: 10.1038/ncomms7857.

Fraser, Barbara. "Carving up the Amazon." *Nature* 509: 418-419.

Geist, Helmut J., and Eric F. Lambin. "What Drives Tropical Deforestation? A Meta-Analysis of Proximate and Underlying Causes of Deforestation Based on Subnational Case Study Evidence." LUCC Report Series No. 4 (2001).

Gentry, Alwyn H. "Tree Species Richness of Upper Amazonian Forests." *Proceedings of the National Academy of Sciences* 85 (1988): 156-159.

Gibson, Luke, Tien Ming Lee, Lian Pin Koh, Barry W. Brook, Toby A. Gardner, Jos Barlow, Carlos A. Peres, Corey J. A. Bradshaw, William F. Laurance, Thomas E. Lovejoy, and Navjot S. Sodhi. "Primary Forests Are Irreplaceable for Sustaining Tropical Biodiversity." *Nature* 478 (2011): 378-381.

Gregory P. Asner, Thomas K. Rudel, Thomas M. Aide, Ruth Defries, Ruth Emerson, "A Contemporary Assessment of Change in Humid Tropical Forests," *Conservation Biology* 23 (6): 1386-1395.

Haddad, N. M., L. A. Brudvig, J. Clobert, et al. "Habitat Fragmentation and Its Lasting Impact on Earth's Ecosystems." *Science Advances*, 1 (2015): e1500052.

Hansen, M. C., S. V. Stehman, and P. V. Potapov. "Quantification of Global Gross Forest Cover Loss." *PNAS* 107 (2010): 8650-8655.

Hilker, Thomas, Alexei I. Lyapustin, Compton J. Tucker, Forrest G. Hall, Ranga B. Myneni, Yujie Wang, Jian Bi, Yhasmin Mendes de Moura, and Piers J. Sellers. "Vegetation Dynamics and Rainfall Sensitivity of the Amazon." *Proceedings of the National Academy of Sciences* 111 (2014): 16041-16046. DOI: 10.1073/pnas.1404870111.

Houghton, Richard A., Brett Byers, and Alexander A. Nassikas. "A Role for Tropical Forests in Stabilizing Atmospheric CO_2." *Nature Climate Change* 5 (2015): 1022-1023.

Hughes, C., K. Walker Painemilla, A. Rylands, and A. Woofter. *Indigenous People and Conservation: From Rights to Resource Management*. Conservation International, 2010.

Intergovernmental Panel on Climate Change. *Climate Change 2013: The Physical Science Basis. Contribution of Working Group I to the Fifth Assessment Report of the Intergovernmental Panel on Climate Change*. Edited by T. F. Stocker, D.

Qin, G. K. Plattner, M. Tignor, S. K. Allen, J. Boschung, A. Nauels, Y. Xia, V. Bex, and P. M. Midgley. Cambridge University Press, 2013.

International Monetary Fund. *How Large Are Global Energy Subsidies*? Edited by D. Coady, I. Parry, L. Sears, and B. Shang. IMF Working Paper Fiscal Affairs Department WP/15/105. International Monetary Fund, 2015.

International Sustainability Unit. "Tropical Forests: A Review." The Prince's Charities (London) and Global Carbon Project, 2014.

International Union for Conservation of Nature. *The IUCN Red List of Threatened Species*. International Union for Conservation of Nature, 2015.

Jayasuriya, M. D. A., G. Dunn, R. Benyon, and P. J. O'Shaughnessy. "Some Factors Affecting Water Yield from Mountain Ash (*Eucalyptus regnans*) Dominated Forests in South-East Australia." *Journal of Hydrology* 150 (1993): 345–367. DOI: 10.1016/0022-1694(93)90116-Q.

Keith, Heather, Brendan G. Mackey, and David B. Lindenmayer. "Re-evaluation of Forest Biomass Carbon Stocks and Lessons from the World's Most Carbon-Dense Forests." *Proceedings of the National Academy of Sciences* 106 (2009): 11635–11640.

Keith, Heather, David Lindenmayer, Brendan Mackey, David Blair, Lauren Carter, Lachlan McBurney, Sachiko Okada, and Tomoko Konishi-Nagan. "Managing Temperate Forests for Carbon Storage: Impacts of Logging Versus Forest Protection on Carbon Stocks." *Ecosphere* 5 (2014): 75.

Luke Gibson, Antony J. Lynam, Corey J. A. Bradshaw, Fangliang He, David P. Bickford, David S. Woodruff, Sara Bumrungsri, and William F. Laurance. "Near-Complete Extinction of Native Small Mammal Fauna 25 Years after Forest Fragmentation." *Science* 341 (2013): 1508–1510.

Luyssaert, E. Sebastiaan, Detlef Schulze, Annett Börner, Alexander Knohl, Dominik Hessenmöller, Beverly E. Law, Philippe Ciais, and John Grace. "Old Growth Forests as Global Carbon Sinks." *Nature* 453 (2008): 213–215.

Mackey, Brendan, Dominick A. DellaSala, Cyril Kormos, David Lindenmayer, Noëlle Kümpel, Barbara Zimmerman, Sonia Hugh, Virginia Young, Sean Foley, Kriton Arsenis, and James E. M. Watson. "Policy Options for the World's Primary Forests in Multilateral Environmental Agreements." *Conservation Letters* 8 (2014): 139–147.

Pew Environment Group. *A Forest of Blue: Canada's Boreal*. The Pew Environment Group, 2011.

Redford, Kent. "The Empty Forest." *BioScience* 42 (1992): 412–422. DOI: 10.2307/1311860.

Riitters, Kurt, James Wickham, Jennifer K. Costanza, and Peter Vogt. "A Global Evaluation of Forest Interior Area Dynamics Using Tree Cover Data from 2000 to 2012." *Landscape Ecology* 31 (2016): 137–148.

Robinson, John G., and Elizabeth L. Bennett, "Having Your Wildlife and Eating It Too: An Analysis of Hunting Sustainability across Tropical Ecosystems." *Animal Conservation* 7 (2004): 397–408.

Rockström, Johan, Will Steffen, Kevin Noone *et al.* "A Safe Operating Space for Humanity." *Nature* 461 (2009): 472–475. DOI:10.1038/461472a.

Stanton, David W. G., John Hart, Peter Galbusera, Philippe Helsen, Jill Shephard, Noëlle F. Kümpel, Jinliang Wang, John G. Ewen, and Michael W. Bruford, "Distinct and Diverse: Range-Wide Phylogeography Reveals Ancient Lineages and High Genetic Variation in the Endangered Okapi (*Okapia johnstoni*)." *PLOS ONE* (2014): DOI: 10.1371/journal.pone.0101081.

World Bank Independent Evaluation Group. *Managing Forest Resources for Sustainable Development: An Evaluation of World Bank Group Experience*. World Bank, 2012.

Geografía de la Esperanza: Salvando los Últimos Bosques Primarios
A Geography of Hope: Saving the Last Primary Forests
By Cyril F. Kormos, Russell A. Mittermeier, Tilman Jaeger, and Brendan Mackey

Published by Earth in Focus
200 First Ave W, #101
Qualicum Beach, British Columbia
Canada V9K 2J3

ISBN: 978-0-9947872-1-7

Series editor: Cristina Mittermeier
Book design and photo research: Jeremy Eberts
Text editor: Gail Spilsbury
Spanish translator and copy editor: Francisco Malagamba
Digital photography editor: Yanik Jutras
Map: Sonia Hugh, Australian National University

PRINTED IN CHINA THROUGH GLOBALINKPRINTING.COM

COVER
TROPICAL FOREST | Iso River Gorge, Papua New Guinea
STEPHEN ALVAREZ/NAT GEO CREATIVE

HALF-TITLE PAGE
TROPICAL FOREST | Danum Valley, Sabah, Borneo, Malaysia
NICK GARBUTT

FRONTISPIECE
TROPICAL FOREST | Danum Valley, Sabah, Borneo, Malaysia
NICK GARBUTT

< TEMPERATE FOREST | BOSQUE TEMPLADO
Eucalyptus coccifera | Snow gum tree | Eucalipto
Navarre Plains | Llanuras Navarra
Tasmania
ROB BLAKERS

www.cemexnature.com
www.twitter.com/CEMEXNature
www.facebook.com/CEMEXNature
www.instagram.com/CEMEXNature

Geografía de la Esperanza: Salvando los Últimos Bosques Primarios
A Geography of Hope: Saving the Last Primary Forests
Por Cyril F. Kormos, Russell A. Mittermeier, Tilman Jaeger y Brendan Mackey

Publicado por Earth in Focus
200 First Ave W, #101
Qualicum Beach, British Columbia
Canada V9K 2J3

ISBN: 978-0-9947872-1-7

Editor de serie: Cristina Mittermeier
Diseño del libro y selección de fotos: Jeremy Eberts
Editora de texto: Gail Spilsbury
Traductor y editor de texto de la versión en español: Francisco Malagamba
Editor de imágenes digitales: Yanik Jutras
Mapa: Sonia Hugh, Australian National University

IMPRESO EN CHINA A TRAVÉS DE GLOBALINKPRINTING.COM

PORTADA
BOSQUE TROPICAL | Garganta del Río Iso, Papúa Nueva Guinea
STEPHEN ALVAREZ/NAT GEO CREATIVE

PÁGINA DEL TÍTULO
BOSQUE TROPICAL | Valle de Danum, Sabah, Borneo, Malasia
NICK GARBUTT

FRONTISPICIO
BOSQUE TROPICAL | Valle de Danum, Sabah, Borneo, Malasia
NICK GARBUTT

Printed on FSC® certified paper
Impreso en papel certificado FSC®